D1287017

ÉLOGES ANTICIPÉS DE *VOTRE SEAU EST-IL BIEN REMPLI ?*

«Dans ce livre court, mais significatif, les auteurs, un grand-père et son petit-fils, examinent comment l'usage de la psychologie positive dans nos interactions quotidiennes peut changer notre vie du tout au tout.»

— *Publishers Weekly*

«Une expérience puissante pour tout lecteur et un outil inestimable pour donner un regain d'énergie à toute entreprise.»

— William Robertson
PRÉSIDENT, WESTON SOLUTIONS, INC.

«S'il y avait un prix Nobel à décerner pour le développement d'une personne de qualité, ce livre mériterait de le recevoir.»

— Mike Johanns
GOUVERNEUR DE L'ÉTAT DU NEBRASKA

«Ce livre devrait faire l'objet d'une lecture obligatoire dans toute organisation, tout programme scolaire et tout cours de préparation au mariage.»

— Gary F. Russell, Ed.D.
P.D.G., MAJOR LEAGUE SOCCER CAMPS

«Riche en illustrations puissantes et en applications pratiques, *Votre seau est-il bien rempli ?* devrait se trouver dans la bibliothèque de la maison et du bureau de tous.»

— Peter J. Watson
CONSEILLER EN APPRENTISSAGE EN ENTREPRISE,
FAIRMONT HOTELS & RESORTS

«Ce livre réaffirme la valeur des relations empreintes d'affection et de compassion. Tom Rath et Don Clifton ont créé des stratégies simples, mais puissantes, pour transformer les affaires professionnelles et faire ressortir la beauté de la vie.»

— N. Joyce Payne
Fondatrice, Thurgood Marshall Scholarship Fund

«Ce livre fera l'objet d'une lecture rapide et mémorable. Sa lecture devrait faire partie du programme de base de toute organisation qui souhaite se créer une culture positive.»

— Val J. Halamandaris
Président, National Association for Home Care

«Ce petit volume démontre en quoi la pratique qui consiste à «remplir le seau d'autres personnes» peut transformer la vie!»

— Ed Diener, Ph.D.
Ancien professeur de psychologie, Université d'État de l'Illinois et éditeur du *Journal of Personality and Social Psychology*

«Une leçon très puissante pour comprendre le potentiel humain et la motivation. Si tous les employés d'une organisation pouvaient lire ce livre et mettre en pratique son message tout simple, cette dernière s'en trouverait transformée du jour au lendemain.»

— Curt W. Coffman
Coauteur des succès de librairie du *New York Times Manager contre vents et marées* et *Les 10 clés du management émotionnel*

« Bien qu'elles n'exigent que peu de mots, les vérités profondes exercent néanmoins une incidence durable. Ce livre encourage, éduque et inspire. »

— Edward « Chip » Anderson, Ph.D.
PROFESSEUR D'ÉDUCATION ET DE LEADERSHIP, AZUZA PACIFIC UNIVERSITY ET COAUTEUR DE *STRENGTHSQUEST*

« L'histoire de la louche et du seau a amélioré ma propre perception des choses et s'est avérée très utile dans ma vie professionnelle. »

— Ben Nelson
SÉNATEUR DES ÉTATS-UNIS

« Ce livre résume cinquante années de percées scientifiques en moins d'une heure. »

— Herman Cain
ANCIEN PRÉSIDENT ET P.D.G., GODFATHER'S PIZZA, INC.

VOTRE SEAU EST-IL BIEN REMPLI?
Édition originale publiée en anglais par Gallup Press, New York, NY (É.-U.)
sous le titre : HOW FULL IS YOUR BUCKET?
© 2004, The Gallup Organisation
Tous droits réservés

ÉDITIONS DU TRÉSOR CACHÉ
815, Boul. St-René Ouest, local 3
Gatineau, (Québec) Canada
J8T 8M3
Tél.: (819) 561-1024
Téléc.: (819) 561-3340
Courriel : editions@tresorcache.com
Site web : www.tresorcache.com

Traduction : Marie-Andrée Gagnon
Conception de la couverture : Chin-Yee Lai
Infographie : Richard Ouellette Infographiste

Dépôt légal - 2005
Bibliothèque nationale du Québec
Bibliothèque nationale du Canada

ISBN 2-922405-32-X

Imprimé au Canada

VOTRE SEAU EST-IL BIEN REMPLI ?

Des stratégies positives pour le travail et la vie

**Tom Rath et
Donald O. Clifton, Ph.D.**

ÉDITIONS
du trésor caché

— À la mémoire de mon grand-père, coauteur et mentor,
DON CLIFTON (1924-2003)

Introduction

Au début des années 1950, mon grand-père, Don Clifton, enseignait la psychologie à l'université d'État du Nebraska lorsqu'il prit conscience d'un problème majeur : Le domaine de la psychologie était fondé presque entièrement sur l'étude de *ce qui ne va pas* chez les gens.

Il commença alors à se demander s'il serait plus important d'étudier *ce qui va* chez les gens.

C'est ainsi qu'au cours des cinq dernières décennies Don et ses collègues en sont venus à tenir des millions d'entretiens, en se concentrant chaque fois sur le positif plutôt que sur le négatif.

Tôt dans ses recherches, Don découvrit que nos interactions avec autrui façonnent notre vie. Que nous ayons une longue conversation avec un ami ou que nous passions simplement une commande dans un restaurant, chaque interaction fait une différence. Les résultats de nos rencontres sont rarement neutres ; ils sont presque toujours positifs ou négatifs. Et bien que nous tenions ces interactions pour acquises, elles produisent un effet cumulatif profond sur notre vie.

Dans les années 1990, les travaux de Don donnèrent le jour à un nouveau domaine d'études : la psychologie positive, qui met l'accent sur *ce qui va* chez les gens. Aujourd'hui, de nombreux chercheurs de renom sur la scène internationale étudient les effets des émotions positives.

En 2002, les travaux audacieux de Don furent reconnus par l'American Psychological Association, qui le nomma grand-père de la psychologie positive et père de la psychologie des points forts. La même année, Don apprit qu'un cancer agressif s'étant répandu dans tout son corps il se trouvait en phase terminale. Sachant son temps compté, il consacra les derniers mois de sa vie à ce qui lui réussissait le mieux et à ce que les gens qui le connaissaient bien se seraient attendus de lui : aider les autres à se concentrer sur le côté positif des choses.

Bien que Don avait déjà écrit plusieurs livres, y compris le succès de librairie *Découvrez vos points forts dans la vie et au travail*, il me demanda de me joindre à lui pour en écrire un dernier, qui serait fondé sur une théorie qu'il avait élaborée dans les années 1960. En raison de la popularité de cette théorie, il y avait des décennies qu'on lui réclamait le présent livre. En effet, au cours des quarante dernières années, plus de cinq mille organisations et d'un million de gens ont mis cette théorie en application. Et les gens se la sont toujours transmise entre amis, collègues et proches.

Fondée sur la simple métaphore d'une « louche » et d'un « seau », la théorie de Don, qui comporte des implications profondes, simplifia l'œuvre de sa vie au profit d'autrui. Ainsi donc, durant ses derniers mois d'existence, Don et moi travaillâmes jour et nuit à colliger les résultats des découvertes les plus déterminantes qu'il avait faites durant sa carrière d'un demi-siècle. Bien que Don subissait alors des traitements de chimiothérapie et de rayons X, nous continuâmes de travailler à la rédaction du présent livre chaque fois qu'il en avait l'énergie, soit la plupart du temps.

Nous passâmes des heures et des heures dans son bureau, à revoir des résultats de recherche, des statistiques et des histoires que nous avons pensé qui retiendraient votre attention. Tandis que la santé de Don se détériorait, je me mis à lui lire des parties et à noter ses commentaires. Il passa ainsi en revue chaque partie du livre, souhaitant que chaque histoire et chaque fait saillant trouve son écho en vous.

Pour ma part, ce fut un honneur de m'associer à Don dans la rédaction de ce livre. Il fut mon mentor, mon professeur, mon modèle et mon ami. Nous étions exceptionnellement près l'un de l'autre, et je chéris le temps que nous avons passé ensemble. Sa vision fut une source de motivation et d'inspiration de tous les instants pour moi. Et Don savait que j'avais été profondément touché par sa théorie pendant toute ma vie. Comme nous le décrirons au chapitre quatre, le fait de mettre en application la théorie de Don, celle de la louche et du seau, m'a donné de l'énergie et m'a peut-être même sauvé la vie lors de mes propres luttes contre le cancer.

Rétrospectivement, je pense que ce projet rédactionnel procura également à Don une énergie supplémentaire au cours des derniers stades de son combat contre le cancer. Il avait passé sa vie à tenter de faire du monde un meilleur endroit où vivre – une personne à la fois – et il comprenait que la compilation de ce livre allait faire une différence. Nous en finîmes la première ébauche à peine quelques semaines avant sa mort, qui survint en septembre 2003.

Au cours de ses 79 années d'existence, Don influa sur la vie de millions de gens par ses livres, ses enseignements et l'industrie qu'il créa à l'échelle internationale. Il toucha un nombre impressionnant de gens grâce à sa foi inébranlable dans la nécessité d'aider les individus et les organisations à se concentrer sur *ce qui va*.

Nous espérons qu'au fil des pages de ce livre vous découvrirez le pouvoir du remplissage de seaux dans votre propre vie.

— Tom Rath

La théorie de la louche et du seau

Chacun de nous possède un seau invisible, qui se fait continuellement vider ou remplir, selon ce que les gens nous disent ou nous font. Lorsque notre seau est plein, nous nous sentons formidablement bien. Cependant, lorsqu'il est vide, nous nous sentons terriblement mal.

Chacun de nous possède également une louche invisible. Or, lorsque nous nous servons de cette louche pour remplir le seau de quelqu'un – en disant ou en faisant des choses qui auront pour effet d'accroître ses émotions positives –, nous remplissons du même coup notre propre seau. Mais lorsque nous nous servons de cette louche pour puiser dans le seau de quelqu'un – en disant ou en faisant des choses qui auront pour effet de diminuer ses émotions positives –, nous nous nuisons à nous-mêmes.

Comme la tasse qui déborde, le seau plein nous fournit une perception positive des choses et une énergie renouvelée. Chaque goutte versée dans ce seau nous rend plus forts et plus optimistes.

Mais le seau vide a pour effet d'empoisonner notre perception des choses, de saper notre énergie et de miner notre volonté. Voilà pourquoi chaque fois qu'une personne puise dans notre seau, nous en éprouvons de la peine.

Ainsi donc, nous avons un choix à faire à chaque instant de chaque jour: Nous pouvons soit remplir mutuellement nos seaux, soit y puiser. Il s'agit ici d'un choix important, qui influera profondément sur nos relations, notre productivité, notre santé et notre bonheur.

CHAPITRE UN

La négativité tue

Lorsque mon grand-père et moi commençâmes à écrire le présent livre, voici la première question que je lui posai : « Pourquoi t'es-tu mis à étudier *ce qui va* chez les gens ? » À cette question, Don répondit sans l'ombre d'une hésitation que l'examen d'une certaine étude de cas avait complètement changé l'orientation de sa carrière et de sa vie. Or, cette étude n'avait absolument rien d'une histoire positive et inspirante :

Après la guerre de Corée, le major William E. Mayer (Ph.D.), qui allait devenir plus tard le psychiatre en chef de l'armée des États-Unis, fit une étude auprès de mille prisonniers de guerre américains qui avaient été détenus dans un camp nord-coréen. Il s'intéressa plus particulièrement à un des cas de guerre psychologique parmi les plus extrêmes et les plus diaboliquement efficaces jamais enregistrés, qui produisit une incidence dévastatrice sur ses victimes.

Des soldats américains avaient été détenus dans des camps qu'on ne considérait pas comme particulièrement cruels ou inhabituels selon les normes conventionnelles. Ces soldats avaient le nécessaire de nourriture, d'eau et d'abri. Ils n'étaient pas soumis aux tortures physiques courantes de l'époque, comme se faire introduire des tiges de bambou sous les ongles des doigts. En fait, on enregistra moins de cas de sévices corporels dans les camps de prisonniers de guerre en Corée du Nord que dans les camps de tout autre conflit armé majeur de l'histoire.

Pourquoi, alors, tant de soldats américains trouvèrent-ils la mort dans ces camps ? Ils n'étaient pas cernés par des fils barbelés. Il n'y avait pas de gardiens armés autour des camps. Pourtant, aucun soldat n'essaya même de s'en échapper. De plus, il arrivait fréquemment que ces hommes rompent les rangs et s'en prennent les uns aux autres, se liant même parfois d'une grande amitié avec les Nord-coréens qui les retenaient en captivité.

Lorsque les survivants furent libérés et confiés à un groupe de la Croix Rouge au Japon, ils eurent la possibilité de téléphoner à leurs proches pour leur faire savoir qu'ils étaient toujours en vie. Toutefois, très peu d'entre eux s'en donnèrent la peine.

De retour à la maison, ces soldats n'entretinrent aucune amitié ou relation entre eux. Mayer décrivit ces hommes comme étant chacun dans « une cellule d'isolement [*mentale*]… sans métal ni béton ».

Mayer avait découvert une nouvelle maladie propre aux camps de prisonniers de guerre, une maladie caractérisée par un désespoir extrême. Il n'était pas rare de voir un soldat errer dans sa hutte, le regard abattu, persuadé qu'il ne lui servirait à rien d'essayer de participer à sa propre survie. Il se retirait donc dans un coin à l'écart, s'y asseyait et se recouvrait la tête d'une couverture. Et il mourait là en moins de deux jours.

Ce mal, les soldats l'appelaient « abandonnite ». Les médecins, quant à eux, lui donnaient le nom de « marasme », qui signifie, dans les mots de Mayer, «un manque de résistance, une passivité». Si on les avait frappés, si on leur avait craché au visage ou si on les avait giflés, les soldats se seraient mis en colère. Cette colère les aurait motivés à survivre. Mais en l'absence de motivation, ils se laissaient simplement mourir, bien qu'aucune raison médicale ne justifiait leur mort.

En dépit de tortures physiques relativement minimes, le marasme fit grimper le taux de mortalité dans l'ensemble des camps de prisonniers de guerre en Corée du Nord à un record de 38 p. cent, soit le taux de mortalité le plus élevé jamais enregistré dans toute l'histoire militaire des États-Unis. Fait plus étonnant encore: la moitié de ces soldats moururent simplement d'avoir abandonné la partie. Ils avaient tout à fait capitulé, tant mentalement que physiquement.

Comment cela avait-il pu se produire? On trouva des réponses à cette question dans les tactiques de torture mentale extrême que les Nord-coréens employaient, et que Mayer décrivit comme «l'arme ultime» de guerre.

L'«arme ultime»

Mayer rapporta que les Nord-coréens avaient pour objectif de «priver les hommes du soutien émotionnel que procurent les relations interpersonnelles». Pour ce faire, ils employaient quatre tactiques principales:

- ▲ encourager la délation
- ▲ promouvoir l'autocritique
- ▲ détruire la loyauté envers les supérieurs et la patrie
- ▲ priver de tout soutien émotionnel positif

*Une négativité incessante
causa un taux de mortalité
de 38 % parmi des
prisonniers de guerre,
soit le plus élevé de toute
l'histoire militaire
des États-Unis.*

Afin d'encourager la délation, les Nord-coréens accordaient aux prisonniers des récompenses, comme des cigarettes, lorsqu'ils mouchardaient entre eux. Mais on ne punissait ni l'offenseur ni le soldat qui avait rapporté la violation, car les Nord-coréens encourageaient cette pratique pour une toute autre raison. Ils cherchaient ainsi à briser les relations et à monter les prisonniers les uns contre les autres. Ils savaient que les soldats pouvaient en venir à se faire du tort entre eux s'ils les encourageaient à puiser dans le seau de leurs camarades jour après jour.

Dans le but de promouvoir l'autocritique, les Nord-coréens formaient des groupes de 10 à 12 soldats à qui ils faisaient pratiquer ce que Mayer décrivit plus tard comme «la corruption de la psychanalyse de groupe». Lors de ces sessions, chaque homme était tenu de se lever devant le groupe et de confesser *toutes les mauvaises choses qu'il avait faites*, de même que *toutes les bonnes choses qu'il aurait pu faire mais qu'il avait négligé de faire.*

Le plus important dans cette tactique, c'était que les soldats ne «confessaient» pas ces choses aux Nord-coréens, mais à leurs propres pairs. En érodant subtilement l'affection, la confiance, le respect et l'acceptation sociale parmi les soldats américains, les Nord-coréens créaient un milieu au sein duquel les seaux de bonne volonté se faisaient continuellement et impitoyablement vider.

La troisième tactique des Nord-coréens consistait à briser la loyauté des soldats envers leurs supérieurs et leur patrie. Ils y parvenaient surtout en minant, lentement et implacablement, l'allégeance d'un soldat à ses supérieurs.

Les conséquences en étaient désastreuses. Dans un certain cas, un colonel donna ordre à un de ses hommes de ne pas boire l'eau d'une rizière parce qu'il savait que les organismes qui y vivaient risquaient de le faire mourir. Le soldat regarda son colonel et lui rétorqua : «Mon gars, tu n'es plus colonel; tu n'es qu'un minable prisonnier comme moi. Occupe-toi de toi-même, et je vais m'occuper de moi.» Résultat : ce soldat mourut de la dysenterie quelques jours plus tard.

Dans un autre cas, quarante hommes regardèrent trois de leurs camarades extrêmement malades se faire jeter hors de leur hutte de boue pour qu'ils meurent là. Pourquoi les hommes en question ne firent-ils rien pour venir en aide à leurs camarades malades ? Parce que «ce n'était pas leur job». Leurs relations avaient été brisées ; ils ne se souciaient tout simplement plus les uns des autres.

Mais la tactique qui consistait à priver les soldats de tout soutien émotionnel positif tout en les inondant d'émotions négatives constituait peut-être *la forme de «vidage de seaux» la plus pure et la plus malicieuse qui soit*. Si un soldat recevait une lettre encourageante de chez lui, les Nord-coréens ne la lui remettaient pas. Par contre, toutes les lettres à contenu négatif – comme celles annonçant la mort d'un proche, ou celles dans lesquelles une femme informait son mari qu'elle n'espérait plus le voir rentrer au pays et qu'elle allait se remarier – étaient remises aux soldats sur-le-champ.

Les Nord-coréens remettaient même les factures en souffrance qui provenaient d'agences de recouvrement des États-Unis – et cela, en moins de deux semaines de leur date d'affranchissement originale. Les effets de cette tactique furent dévastateurs : N'ayant rien à quoi se raccrocher, les soldats en venaient à perdre toute foi en eux-mêmes et en leurs proches, sans parler de Dieu et de leur patrie. Mayer précisa que les Nord-coréens avaient réussi à confiner les soldats américains «dans un type d'isolement émotionnel et psychologique sans précédent».

Étudier la positivité

Ému par cette histoire de torture psychologique et de privation – et peut-être inspiré par l'espoir que ces soldats n'avaient pas souffert et n'étaient pas morts en vain –, Don Clifton et ses collègues décidèrent d'étudier l'envers de cette horrible équation. Ils se demandèrent : S'il est possible que des gens soient littéralement détruits par un renforcement implacablement négatif, serait-il possible de les édifier et de les inciter à s'élever par un degré de positivité comparable ? Essentiellement, ils se posèrent la question suivante :

La positivité peut-elle avoir une incidence encore plus grande que la négativité ?

Les recherches qu'ils firent pour répondre à cette question leur inspirèrent la théorie de la louche et du seau, fondée sur les principes qui suivent.

Chacun possède un seau invisible. Nous sommes dans la meilleure situation possible lorsque notre seau déborde, et dans la pire lorsqu'il est vide.

Chacun possède aussi une louche invisible. Lors de chaque interaction, nous pouvons utiliser notre louche soit pour remplir le seau de quelqu'un soit pour y puiser.

Chaque fois que nous choisissons de remplir le seau de quelqu'un, nous remplissons le nôtre du même coup.

Au cours des cinquante dernières années, des millions de gens dans le monde entier ont étudié, appliqué et embrassé la théorie de la louche et du seau. Les gens qui ont entendu parler de cette théorie l'ont trouvée inspirante et facile à mettre en pratique dans leur vie de tous les jours. Plus important encore, il s'agit d'une théorie que vous pouvez mettre à l'œuvre, dès maintenant, afin d'améliorer votre propre vie.

Dans les pages qui suivent, vous trouverez :

◆ un langage simple à utiliser et à partager avec autrui ;

◆ le résumé de découvertes de recherche applicables à votre vie quotidienne ;

◆ des faits vécus illustrant la théorie de la louche et du seau ;

◆ des moyens d'éliminer la négativité dans votre vie professionnelle et privée ;

◆ cinq stratégies éprouvées qui accroissent les émotions positives.

CHAPITRE DEUX

Positivité, négativité et productivité

L a plupart d'entre nous n'auront pas à subir le type de torture psychologique que les prisonniers de guerre américains connurent lors de la guerre de Corée. Cependant, nous faisons tous chaque jour l'expérience d'interactions positives et négatives qui influent sur notre moral et notre comportement. Or, le fait que ces interactions soient courantes et souvent peu dramatiques ne signifie pas qu'elles soient sans importance. Elles ont de l'importance. Si la plupart de nos expériences négatives ne nous tueront pas, elles risquent néanmoins d'éroder lentement mais sûrement notre mieux-être et notre productivité. Heureusement, les expériences positives ou qui consistent à «remplir des seaux» peuvent s'avérer encore plus puissantes.

Remplir des seaux au sein d'une organisation

Bien que le fait de remplir des seaux transcende de beaucoup les concepts de la «reconnaissance» et des «éloges», ceux-ci constituent deux composantes essentielles à la création d'émotions positives au sein d'une organisation. En fait, nous avons soumis à un sondage portant sur ce sujet plus de quatre millions d'employés dans le monde entier. Notre plus récente analyse, qui concerne plus de dix mille établissements dans plus de trente secteurs d'activité, nous a révélé que les gens qui reçoivent fréquemment de la reconnaissance et des éloges :

◆ voient augmenter leur productivité ;

◆ accroissent leur engagement envers leurs collègues ;

◆ sont plus susceptibles de rester dans leur organisation ;

◆ enregistrent une meilleure fidélisation et satisfaction chez leurs clients ;

◆ ont une meilleure fiche de sécurité et ont moins d'accidents au travail.

Afin de mettre tout cela en perspective, remémorez-vous la plus grande marque de reconnaissance que vous avez jamais reçue au travail. Il y a des chances qu'elle ait suscité en vous une plus grande satisfaction par rapport à votre organisation et qu'en retour celle-ci ait augmenté votre productivité. Une grande reconnaissance et des éloges exceptionnels peuvent transformer un lieu de travail sur-le-champ. Et il suffit qu'une seule personne remplisse des seaux plus fréquemment pour insuffler des émotions positives à un groupe tout entier. Des études ont démontré que les cadres supérieurs qui expriment des émotions positives ont des équipes dont le moral est plus positif, la satisfaction au travail meilleure, l'engagement plus grand et une performance collective améliorée.

Nous connaissons un P.D.G., Ken, qui a déclaré que le remplissage de seaux est son «arme secrète» de dirigeant. Il a mis au point des moyens très ciblés pour accroître les émotions positives au sein de la grande organisation qu'il dirige. Au cours de ses fréquents voyages autour du monde, Ken passe toujours par les bureaux locaux de son organisation. Or, il ne s'y arrête pas pour «espionner» ses employés ou simplement pour rencontrer la haute direction. En réalité, il vise tout d'abord à donner un regain d'énergie aux gens dans chaque lieu de travail.

Avant d'arriver sur place, Ken se remémore les réussites et les réalisations dont il a entendu parler au cours des derniers mois et qui sont attribuables aux gens de chaque bureau. Dès son arrivée, Ken rend tout bonnement visite à ces gens afin de les en féliciter. Il lui arrive d'offrir des lauriers à un employé qui vient de se marier ou qui vient d'avoir un enfant, ou encore de louanger quelqu'un qui a donné une présentation exceptionnelle. Voici ce qu'il aime le plus répéter: «J'ai beaucoup entendu parler en bien dans votre dos.»

Pour Ken, ce qu'il y a de plus agréable dans le fait de répandre la positivité consiste à «regarder l'énergie gagner tout le réseau» une fois qu'il l'a mise sur sa lancée. Il a réalisé qu'il était en mesure d'illuminer tout un lieu de travail au moyen de quelques brèves, mais énergisantes, conversations.

Ken se plaît à dire: «J'ai découvert que le fait de remplir des seaux constitue une stratégie de leadership extraordinairement puissante.» Comme résultat de cette approche, des milliers de gens comptent sur lui pour se faire motiver et guider.

*Voici la principale raison
pour laquelle les gens
quittent leur emploi :
Ils ne se sentent
pas appréciés.*

Tuer la productivité

Bien entendu, il existe l'envers de cette réalité. Actuellement, la majorité d'entre nous ne donnent ni ne reçoivent, de loin, autant d'éloges qu'ils le devraient. Résultat : nous sommes beaucoup moins productifs et, dans bien des cas, complètement détachés de notre emploi. Selon le département du Travail des États-Unis, si les gens quittent leur emploi, c'est principalement parce qu'ils « ne se sentent pas appréciés ».

Mais le problème ne se limite pas à cela.

Une étude menée auprès de travailleurs de la santé a démontré que, lorsque les employés travaillent pour un patron ou une patronne qui leur déplaît, ils souffrent d'une tension artérielle considérablement plus élevée que la moyenne. Selon le scientifique britannique George Fieldman, cette hypertension causée par un patron ou une patronne est susceptible d'accroître les risques de maladie coronarienne d'un sixième et les risques d'accident vasculaire cérébral d'un tiers.

Fieldman, également psychologue et psychanalyste, a dit : « Nous avons observé une hypertension statistiquement et cliniquement marquée au cours de la période où les gens travaillaient sous la direction d'un patron ou d'une patronne qu'ils n'aimaient pas. Les gens qui travaillent avec des patrons qu'ils détestent réellement depuis des années sont probablement très vulnérables aux maladies coronariennes du fait que leur tension artérielle s'est maintenue élevée sur une longue période. »

Pour ce qui est de la productivité, il vaudrait mieux pour leur organisation que les gens négatifs à outrance restent à la maison. Au travail, ils se montrent improductifs. Nous connaissons tous des gens de ce type. Ils tournent en rond

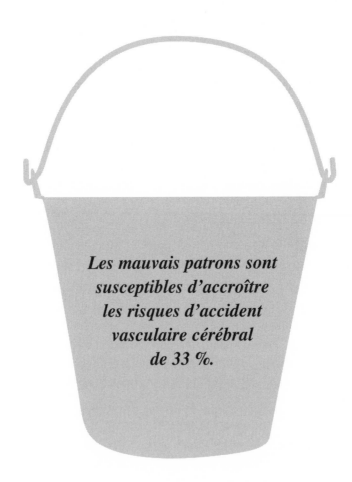

*Les mauvais patrons sont
susceptibles d'accroître
les risques d'accident
vasculaire cérébral
de 33 %.*

dans le bureau avec les yeux vitreux ou vont d'un poste de travail à un autre pour y jouer les fauteurs de troubles en gémissant, en se plaignant et même en faisant preuve de paranoïa.

À notre avis, il y aurait plus de vingt-deux millions de travailleurs – seulement aux États-Unis – qui sont extrêmement négatifs ou «activement désengagés». Or, cette négativité galopante est non seulement déconcertante, mais encore *coûteuse*: Il en coûte chaque année à l'économie américaine entre 250 et 300 milliards de dollars uniquement en perte de productivité. Si on ajoute à ce bilan les accidents du travail, les congés de maladie, la rotation du personnel, les absences et la fraude, les coûts risquent de dépasser le billion de dollars par année, soit près de 10 p. cent du produit national brut des États-Unis. Précisons cependant que ces coûts ne sont pas le propre de la nation américaine; ils existent à divers degrés dans tous les pays, tous les secteurs d'activité et toutes les organisations qui ont fait l'objet de notre étude.

Par ailleurs, nos statistiques sont conservatrices. Afin d'évaluer les coûts avec précision, nous n'avons considéré que l'incidence directe qu'ont les employés «activement désengagés» au travail. Nous avons quantifié la productivité – ou l'absence de productivité – observée sur le lieu de travail de chaque personne. En analysant les données recueillies, nous avons dû présumer que chaque employé désengagé ne faisait que rester assis à son poste sans semer la pagaille ailleurs – hypothèse improbable, bien entendu. En effet, la plupart des employés désengagés font chaque jour beaucoup de choses qui entraînent d'autres gens à sombrer avec eux.

La descente en spirale

Afin de donner vie à ces statistiques, voici un exemple d'effet qu'une simple petite dose de négativité produisit sur une employée. L'histoire de Laura vous en rappelle-t-elle une autre ?

Je me tenais là, devant mon auditoire, prête à entamer la meilleure partie de ma présentation. J'étais restée debout très tard les deux dernières soirées afin de me préparer. Mes connaissances sur le sujet et ma passion pour lui étaient considérables, et je voulais que tout soit parfait. Je souhaitais aussi vraiment impressionner mon patron et mes collègues. Tout se passait bien tandis que je projetais les premières diapositives. Puis, un problème technique soudain a donné à tout le monde la chance de se mettre à converser pendant quelques minutes.

J'ai entendu Mike murmurer à Beth que j'avais l'air d'être rentrée tard la veille. J'ai eu envie de sauter par-dessus la table et de l'étrangler. Avais-je si mauvaise mine ? J'ai tenté de garder mon sang-froid, mais j'étais ébranlée.

Une fois ma présentation relancée, je devais amener tout le monde à se concentrer de nouveau et à revenir à nos moutons.

Tandis que je m'évertuais à regagner l'attention de tout l'auditoire, mon insécurité croissait. Mes premières remarques étaient-elles si ennuyeuses que mes auditeurs redoutaient d'entendre la suite, ou avais-je si mauvaise mine que je nuisais à ma propre crédibilité?

Finalement, mon patron s'est rendu compte que j'étais sur le point de m'effondrer et s'est employé à regagner l'attention de tous. Malheureusement, il s'y est pris en disant: «Laura ne semble pas très contente de nous; peut-être devrions-nous lui accorder notre attention maintenant.» Aïe! Parfois, je n'arrive pas à croire ce que les gens peuvent dire à voix haute. La moindre parcelle d'assurance que j'avais rassemblée pour donner ma présentation s'était évanouie. Les choses n'ont fait que dégringoler après cela.

Nous avons tous déjà vécu des situations où il semblait que rien n'irait, peu importe ce qu'on dirait ou ferait. Peut-être avez-vous le sentiment que tout le monde en a après vous, et vous vous mettez même à vous concentrer sur les choses négatives en vous. Il n'est certes pas difficile de descendre en spirale lorsqu'on est en train de se faire vider son seau.

Non seulement on se sent abattu, mais encore on devient moins productif, et on en entraîne d'autres avec soi en puisant à son tour dans leurs seaux. Ces jours-là, lorsqu'on interagit avec des gens, ils discernent rapidement la négativité qu'on dégage et ne tardent pas à y réagir. Or, cette négativité n'est pas facile à cacher; en fait, elle est hautement contagieuse.

Il suffit parfois d'une ou deux personnes pour empoisonner tout un lieu de travail. Et les dirigeants qui ont tenté de muter des gens négatifs dans d'autres services afin de soulager le problème savent que « la mutation, la mutation, la mutation » ne fonctionne pas dans le cas de ces gens ; ils amènent leur négativité avec eux partout où ils vont. *Les employés négatifs peuvent dévaster un lieu de travail comme l'ouragan qui traverse une ville côtière.*

Faire fuir les clients

Il n'y a rien d'étonnant au fait que les groupes de travail qui se sont fait excessivement siphonner leurs seaux soient non seulement moins productifs et moins rentables, mais encore qu'ils enregistrent une plus grande rotation du personnel, plus d'accidents du travail, ainsi qu'une moins grande satisfaction de la clientèle, moins d'innovation et moins de qualité.

Par ailleurs, les employés négatifs font fuir les clients. Remémorez-vous la dernière fois que vous avez téléphoné à un service à la clientèle où on vous a maltraité. Après cette expérience, il se peut que vous vous soyez dit : « Je ne ferai jamais plus affaire avec cette société. » Si vous étiez réellement en colère, il se peut que vous ayez parlé de cette expérience avec d'autres et leur ayez recommandé de cesser eux aussi de faire affaire avec cette société. Voilà les conséquences néfastes qu'un seul employé négatif peut infliger à toute société.

Récemment, nous avons enquêté sur l'incidence qu'un seul employé peut avoir sur les clients en effectuant une étude auprès de 4583 représentants d'un télécentre travaillant pour une grande société de télécommunications. Nous avons ainsi fait la découverte de trois représentants du service à la clientèle qui faisaient fuir *jusqu'au dernier* les clients avec qui ils s'entretenaient au cours de leur journée de travail – et ces

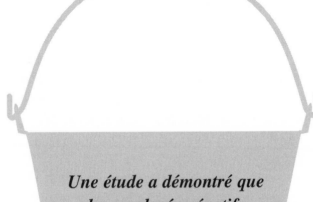

Une étude a démontré que les employés négatifs peuvent faire fuir tous les clients à qui ils s'adressent – et cela, pour de bon.

clients ne revenaient jamais. Il s'agit d'un grave problème lorsque les employés d'une société puisent dans le seau des clients. *Cette société aurait mieux fait de payer ces trois représentants pour qu'ils restent à la maison.*

Heureusement, cette étude nous a également permis d'identifier sept représentants du service à la clientèle qui retenaient et fidélisaient *tous les clients* avec qui ils parlaient. Peut-être avez-vous déjà eu la chance de tomber sur un représentant de ce type-là, qui vous a écouté lui expliquer votre problème, qui a veillé à vous faire comprendre qu'il vous a bien entendu, qui a promptement réglé vos ennuis, et qui vous a laissé l'impression qu'il se souciait sincèrement de vous en tant que personne. Avez-vous eu envie de parler à d'autres personnes de ce service de premier ordre ? Et comptez-vous encore au nombre de ses clients aujourd'hui ?

Le manque de reconnaissance

Dirigeants, prenez note de ceci : *Les éloges sont chose rare sur la plupart des lieux de travail.* Un sondage a indiqué que 65 p. cent des Américains, nombre étonnant, n'avaient reçu aucune reconnaissance pour un travail bien fait au cours de l'année précédente. Et nous n'avons encore trouvé personne qui ait dit souffrir d'une *extrême reconnaissance.* Il n'y a donc rien d'étonnant à ce que tant d'employés soient désengagés. Bien que nous ayons besoin de reconnaissance et d'éloges, et que nous les voulions, le fait est que nous n'en recevons pas suffisamment – et les organisations en souffrent.

La plupart du temps, les organisations entament des programmes de reconnaissance formels parce que quelqu'un de la haute direction a décidé que des cérémonies de reconnaissance mensuelles ou trimestrielles contribueraient à remonter le moral

65 p. cent
des Américains n'ont reçu
aucune reconnaissance
pour un travail bien fait
au cours de l'année
précédente.

des effectifs. Cela semble bien, n'est-ce pas? Ce qui en résulte, c'est le bon vieux programme «L'employé du mois».

Les premiers mois, il se pourrait que le programme fonctionne. Il y aura au moins quelques personnes dont la performance aura été excellente depuis longtemps et qui mériteront une plus grande reconnaissance. Or, ces étoiles seront, à juste titre, comblées d'éloges en public.

Mais après un moment, la direction en viendra à se débattre avec une question inévitable: *Qui devrait être le prochain Employé du mois?* Une fois que les cadres supérieurs auront fait un compromis, un dirigeant aura la chance de se tenir devant la salle pour déclarer toutes sortes de choses gentilles, mais rarement sincères, au sujet du récipiendaire. Et tout ce tralala finira par donner le sentiment d'être une imposture tant pour «le gagnant» que pour le présentateur.

En fin de compte, tout le monde, quel que soit son mérite, en viendra à être nommé «Employé du mois». Toutes leurs photos sur lesquelles ils sourient finiront par figurer au tableau de l'aire d'accueil.

Mais toute l'affaire respire la gratuité, et personne ne l'ignore. Celui qui en est le plus mal à l'aise est, bien sûr, le dernier employé à qui a été décerné cette récompense. Et pourquoi n'en serait-il pas ainsi? La direction aura attendu des mois, si ce n'est plus d'une année, pour louanger son «excellent travail», ce qui le réjouit probablement autant que d'être le dernier à se faire choisir par une équipe dans la classe de gymnastique.

Bien entendu, certaines organisations offrent des récompenses qui sont significatives, méritées et personnalisées. (Au chapitre six, nous suggérerons des moyens pour votre organisation d'en faire autant.)

Le fait de remplir des seaux avec sincérité et sérieux a pour effet d'améliorer le moral de toute organisation. Les dirigeants et les employés qui répandent activement des émotions positives, même à petite dose, verront une différence sur-le-champ. Et la création de cette différence peut ne coûter presque rien, sinon être même gratuite. Tout ce qu'il faut, c'est un soupçon d'initiative.

CHAPITRE TROIS

Chaque moment compte

Habituellement, nous ne nous arrêtons pas à l'incidence de brèves interactions. Mais nous faisons littéralement l'expérience de centaines de points potentiellement tournants au cours d'une même journée, comme le démontre Tammy, cette mère de trois enfants.

Comme d'habitude, ma journée commence à la course. Tandis que je m'efforce de me préparer à aller travailler, les enfants réclament bruyamment leur petit déjeuner. Bien que ceux de huit ans et de onze ans se contentent de céréales, celle qui n'en a que six exige une tranche de pain grillé tartinée au beurre d'arachides et couverte de banane. Je finis par abandonner la partie et lui en faire une à son goût, et nous nous assoyons à table pour prendre un repas en toute vitesse. Après une seule bouchée, ma plus jeune échappe son petit déjeuner par terre. J'observe la scène comme si elle était au ralenti, tandis que la tartine s'écrase au sol – côté tartiné contre terre. Son frère s'écrie alors : « Tu viens de faire un beau gâchis ! » Puis, sa sœur aînée lui lance : « Tu es censée la manger, idiote ! » Et je me mets de la partie, en lui disant quelque chose qu'elle sait déjà, à savoir qu'elle devra vraiment faire attention la prochaine fois.

Imaginez ce qu'a pu ressentir la fillette de six ans à ce moment-là. Et si Tammy avait appuyé sur «pause» dans son esprit et avait dit à sa fille quelque chose de positif pour l'encourager plutôt que d'en rajouter et de lui souligner sa maladresse ? La journée de Tammy se poursuit ainsi :

Je finis par faire sortir tout le monde de la maison et partir pour l'école, juste à temps. Puis, tandis que j'entre dans le parking du bureau, je crois avoir enfin droit à un répit. Pour la première fois depuis un certain temps, il y a un espace libre dans la première rangée. Alors, j'appuie légèrement sur l'accélérateur pour m'assurer de prendre la place libre avant tout autre prédateur. Bien sûr, dès l'instant où je m'en approche, une autre conductrice a la même idée. Même si je sais fort bien que j'étais la première arrivée, je décide de céder l'espace à l'autre femme d'un signe de main cour- tois, et je me dirige vers le fond du parking. Et puis, tandis que je marche vers l'immeuble, quelque chose d'étrange se produit. La conductrice m'y attend, me tenant la porte pour que j'entre dans l'immeuble. Elle se présente à moi et me remercie de m'être montrée si gentille. Et nous finissons par causer pendant un mo- ment.

En l'espace de quelques instants, les seaux des deux femmes se sont fait remplir. Et voici la suite de l'histoire de Tammy :

J'entre dans le bureau, je m'assieds à mon poste moins que spectaculaire, et je jette un coup d'œil à mon agenda électronique. J'y vois un rendez-vous à 10h : «Examen de rendement avec Bill». J'ai l'estomac qui se serre ; j'ai envie de rentrer à la maison en prenant mes jambes à mon cou et en me portant malade. Je sais exactement ce qui m'attend. Bill, mon patron, doit avoir vu mes pairs en entretien la veille et s'être informé auprès d'eux de toutes mes «occasions d'amélioration». Eh oui, cet entretien confirme mes soupçons. Bill a dressé la liste de huit choses que je devrai m'appliquer à régler au cours des six mois à venir. Il ne mentionne pas une seule fois la moindre de mes réussites, bien que j'aie travaillé pendant plus de soixante-dix heures la semaine précédente pour terminer une proposition importante. Au terme de ce qui me semble une rencontre de quelques jours, je quitte son bureau de mauvaise humeur. Je me dis en moi-même : «Pourquoi même rester dans cette société ? »

En peu de temps, Bill a vidé le seau de Tammy. Puis, l'histoire se poursuit :

Plus tard, je marche dans le corridor, et je croise Karen, un des cadres supérieurs de la société. La semaine

d'avant, nous avons travaillé brièvement ensemble à la
fameuse proposition importante. Rendue à ma hauteur,
Karen ralentit le pas et me dit : « Salut, Tammy. La der-
nière partie de notre proposition, c'était du beau boulot
la semaine dernière. » Je m'étonne qu'elle se rappelle
même mon nom. Plus de la moitié des gens de mon grou-
pe de travail m'appellent Tamara, qui n'est même pas
le prénom que je préfère.

Si Karen s'était contentée de dire : « Salut, Tammy ! » cela aurait peut-être suffi. Mais le fait qu'elle ait louangé Tammy de manière significative et précise a ensoleillé la journée de cette dernière. Son seau s'est rempli rapidement. Et le plus drôle, c'est que Karen a peut-être pensé qu'elle ne faisait qu'un commentaire tout simple en passant ; elle ne pouvait probablement pas en imaginer l'incidence positive.

Notre culture négative

La plupart d'entre nous veulent plus d'émotions positives dans leur vie. Nous voulons nous sentir plus souvent comme Tammy s'est sentie lors de sa brève rencontre avec Karen, et moins souvent comme elle s'est sentie après son examen de rendement. Quatre-vingt-dix-neuf pour cent des gens indiquent souhaiter avoir un entourage plus positif ; neuf personnes sur dix disent être plus productives lorsqu'elles sont entourées de gens positifs.

Malheureusement, il ne suffit pas de souhaiter avoir un entourage plus positif. La plupart d'entre nous ont grandi au sein d'une culture dans laquelle il est beaucoup plus facile de dire aux gens en quoi ils ont mal fait que de faire l'éloge de leurs réussites. Bien que cette approche fondée sur la négativité se soit développée sans que nous le voulions, il reste qu'elle a pénétré toutes les couches de notre société.

Le fait de mettre l'accent sur ce qui ne va pas est particulièrement évident dans notre vécu scolaire. Au lieu de célébrer ce qui rend chaque enfant unique, la plupart des parents poussent leurs enfants à « s'intégrer », de manière à ce qu'ils ne « fassent pas tache ». Or, ce faisant, ils étouffent involontairement l'individualité et encouragent la conformité, en dépit de leurs bonnes intentions.

Et nos écoles, qui s'appuient sur des « programmes d'études de base » que les élèves doivent suivre quels que soient leurs intérêts et leurs talents naturels, renforcent ce mode de pensée. Si un enfant excelle dans une matière qui lui vaut d'excellentes notes, que se produit-il ? Plutôt que de reconnaître et de développer ce domaine où il est doué, ses professeurs et ses parents font fit de ses notes exceptionnelles et se concentrent sur l'amélioration des notes les plus faibles de son bulletin scolaire. Or, on entend rarement dire qu'un directeur ou qu'un conseiller d'orientation scolaire « fait venir des élèves dans son bureau » pour discuter avec lui de ses notes remarquables.

Un récent sondage Gallup, mené dans plusieurs pays et dans diverses cultures, a permis d'évaluer dans quelle mesure les parents se concentrent sur les meilleures notes de leurs enfants, comparée à la mesure dans laquelle ils se concentrent sur leurs pires notes. Voici la question qui a été posée aux parents : « Votre enfant vous montre les notes suivantes : Français = A ; Études sociales = A ; Biologie = C ; Algèbre = E (« A » correspondant à l'excellence, et « E » à un échec). Selon vous, quelle note mérite que vous y prêtiez la plus grande attention ? » Résultat : la grande majorité des parents de tous les pays

Neuf personnes sur dix disent être plus productives lorsqu'elles sont entourées de gens positifs.

où le sondage a été mené ont répondu qu'ils se concentreraient sur le «E».

PAYS	SE CONCENTRERAIENT SUR LES «A»	SE CONCENTRERAIENT SUR LE «E»
Royaume-Uni	22 %	52 %
Japon	18 %	43 %
Chine	8 %	56 %
France	7 %	87 %
États-Unis	7 %	77 %
Canada	6 %	83 %

Malheureusement, les parents se laissent prendre au jeu du «Comment vais-je faire entrer mon enfant à l'université?» plutôt que de considérer ce qui serait le mieux pour le développement de leur fils ou de leur fille. Cela ne signifie toutefois pas que les parents devraient faire fi du «E» en algèbre. Mais pourquoi ne pas commencer sur un pied positif en mettant l'accent sur les «A» *avant* de mettre en œuvre des stratégies qui permettraient à l'enfant de s'améliorer dans la matière où il échoue? Si, à tout le moins, les parents entamaient ces discussions de manière plus positive, celles-ci pourraient s'avérer plus fructueuses.

Au moins, lorsque les étudiants finissent leurs études et entrent sur le marché du travail, ils ont l'occasion de faire ce qu'*ils* veulent, n'est-ce pas? Il n'en tient qu'à eux désormais de poursuivre leur grande passion. Eh bien, cela est peut-être le cas de quelques rares exceptions. Malheureusement, la majorité des jeunes gens ne se font pas choisir dans le cadre de leur premier emploi en fonction de la correspondance de leurs talents naturels avec le rôle qu'ils seront appelés à jouer.

Remémorez-vous le premier emploi s'inscrivant dans le cadre de votre carrière, et voyez si le scénario qui suit vous rappelle quelque chose : Essentiellement, on vous a choisi dans le but de pourvoir un poste précis, puis on s'est attendu à ce que vous *changiez votre façon d'être* pour correspondre au rôle qui vous était confié. Si vous avez éprouvé des difficultés, il se peut que vous ayez dû subir un programme de « compétence » destiné à « régler le problème ». Ainsi, cette approche fondée sur les faiblesses nous suit toute notre vie, de l'école jusque sur le lieu de travail.

Ils ont manqué le coche

Il y a plus de soixante-dix ans, dans les domaines de l'éducation et de la psychologie, on négligea les résultats d'une étude importante – une étude comportant des implications qui auraient pu, et qui auraient probablement dû, modifier l'orientation de la pensée consécutive au questionnement humain. Il se peut que, depuis lors, nous souffrions tous d'ailleurs de cette négligence.

Cette étude, menée en 1925 par la doctoresse Elizabeth Hurlock, visait à vérifier ce qui se produirait si des élèves de la classe de math de quatrième et de sixième année recevaient différents types de feed-back sur leur travail. Hurlock voulait savoir s'il était plus efficace de les louanger, de les critiquer ou de les négliger. Les résultats de l'étude allaient être déterminés par le nombre de problèmes mathématiques que chaque étudiant résoudrait 2, 3, 4 et 5 jours plus tard.

Les élèves du premier groupe étaient identifiés par leur nom et louangés devant la classe pour leur bon travail. Les élèves du deuxième groupe étaient également identifiés par leur nom devant le groupe, mais se faisaient critiquer pour leur mauvais travail. Ceux du troisième groupe, pour leur part, étaient complètement négligés, bien qu'ils étaient présents lorsque les autres se faisaient louanger ou réprimander. Un quatrième groupe (de contrôle) se fit conduire dans une autre salle à l'issue du premier test. Les membres de ce groupe furent soumis aux mêmes tests, mais ne reçurent aucun commentaire sur leur rendement.

Or, les élèves qui appartenaient aux groupes « louangés » et « critiqués » firent mieux le deuxième jour. Ensuite, leur rendement changea du tout au tout. Les élèves qui se faisaient critiquer enregistrèrent une chute importante dans leurs résultats de tests et, les troisième et quatrième jours, ils en étaient venus à rejoindre les rangs de ceux dont on n'avait fait aucun cas.

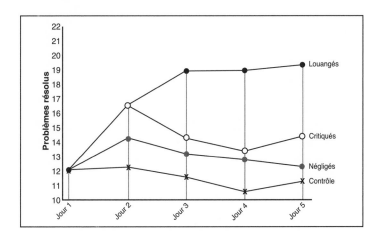

Par contraste, les élèves qui furent louangés enregistrèrent, après le deuxième jour, une importante amélioration, qui se maintint jusqu'à la fin de l'étude. Le cinquième jour de cette expérience, le groupe ayant été louangé démontrait sans équivoque un meilleur rendement que les autres groupes soumis à l'étude. Voici l'amélioration d'ensemble enregistrée par chacun des groupes :

Louangés = 71 %
Critiqués = 19 %
Négligés = 5 %

On pourrait croire que cette étude ait causé tout un émoi parmi les psychologues et les éducateurs, mais il n'en fut rien. Jusqu'à tout récemment, la communauté scientifique s'est concentrée presque exclusivement sur l'étude des effets que produisent des moments négatifs ou traumatisants. Or, cette orientation commence enfin à changer.

L'émergence de la psychologie positive

Comme résultat de l'émergence de la psychologie positive, soit l'étude de *ce qui va* chez les gens, certains des plus grands cerveaux du monde consacrent désormais leur carrière à analyser les effets des émotions positives. Au risque de simplifier à outrance une décennie de recherche approfondie, plusieurs des scientifiques les plus reconnus sur la scène internationale ont mis la négativité au banc des accusés – et l'ont reconnue coupable.

Ces récentes études démontrent que les émotions négatives risquent de nuire à votre santé et même de raccourcir votre vie. Nous savons déjà qu'une seule personne suffit à gâcher l'ambiance d'un lieu de travail en entier, mais ce qu'il faut savoir, c'est que les émotions négatives peuvent également détruire des relations, des familles et des carrières complètes.

Par contraste, de récentes découvertes suggèrent que *les émotions positives sont un apport quotidien essentiel à la survie*. Non seulement améliorent-elles votre santé physique et mentale, mais encore elles peuvent vous protéger contre la dépression et la maladie.

Des milliers de moments chaque jour

Selon le scientifique Daniel Kahneman, récipiendaire du prix Nobel, nous faisons l'expérience d'environ *20 000 moments individuels au cours d'une journée*. Chaque « moment » dure quelques secondes. Si vous évoquez tout souvenir important – positif ou négatif –, vous remarquerez que votre imagerie mentale se définit en fait par votre rappel d'un point précis dans le temps. Par ailleurs, il arrive rarement qu'une rencontre neutre vous reste en tête ; les instants mémorables sont presque toujours soit positifs, soit négatifs. Dans certains cas, une seule rencontre aura eu pour effet de transformer votre vie pour toujours.

Dans un récent épisode de *Today*, Katie Couric a interviewé un jeune homme nommé Brian Bennett, qui avait grandi dans un milieu problématique et abusif. Il avait éprouvé des difficultés à l'école et s'était souvent fait harceler lorsqu'il était plus jeune. Aujourd'hui adulte, Brian réussit bien dans la vie et est équilibré. Lorsque Couric lui a demandé : « Qu'est-ce qui a fait la différence ? » le jeune homme lui a répondu sans la moindre hésitation que le moment décisif de sa vie s'était produit lorsqu'une de ses maîtresses d'école lui avait dit tout bonnement qu'elle se souciait de lui et qu'elle croyait en lui. Cette seule petite interaction avait suffi à transformer la vie de Brian Bennett du tout au tout.

Dans un autre cas, nous avons demandé à Kristin, conseillère de direction : « Quelle est la plus grande marque de reconnaissance que vous ayez reçue ? » Sa réponse : « Quatre

Nous faisons l'expérience d'environ 20 000 moments individuels par jour.

mots dans un courriel.» Nous avons découvert par la suite que, lorsque la mère de Kristin était morte, un mentor au bureau que Kristin avait admiré durant toute sa carrière lui avait écrit une note toute spéciale. Le courriel de son mentor se terminait sur les mots : «Votre mère était très fière de vous, comme *je le suis moi-même*». Après avoir passé vingt-cinq années dans la même société, quatre simples mots avaient eu plus de signification pour Kristin que toute autre marque de reconnaissance qu'elle avait pu recevoir dans toute sa vie.

Le rapport magique

Bien entendu, rares sont les moments aussi profonds que celui-là, mais même les interactions moins mémorables ont leur importance. Les experts en psychologie positive se rendent actuellement compte que la *fréquence* des petits actes positifs est primordiale. Les recherches initiales que John Gottman a effectuées sur les mariages suggèrent qu'il existe un «rapport magique» de 5 contre 1, pour ce qui est du rapport entre nos interactions positives et négatives. Gottman a découvert que les mariages sont considérablement plus susceptibles de réussir lorsque les interactions du couple approchent du rapport de 5 interactions positives contre 1 interaction négative. Lorsque leur rapport est plutôt de l'ordre de 1 contre 1, c'est que le couple «dégringole vers le divorce».

Dans une étude fascinante, Gottman collabora avec deux mathématiciens pour mettre ce modèle à l'épreuve. Dès 1992, ils recrutèrent 700 couples qui venaient de recevoir leur certificat de publication des bans. Pour chaque couple, les chercheurs enregistrèrent sur vidéocassette une conversation de quinze minutes entre mari et femme, et calculèrent le nombre de leurs interactions positives et négatives. Ensuite, selon le rapport

Le rapport magique :
5 interactions positives
contre 1 interaction
négative.

de 5 contre 1, ils prédirent pour chacun des couples s'il resterait ensemble ou divorcerait.

Dix ans plus tard, Gottman et ses collègues effectuèrent un suivi par rapport à chacun des couples afin de déterminer l'exactitude de leurs prédictions. Leurs résultats furent renversants. Ils avaient prédit le divorce avec un taux d'exactitude de 94 p. cent, en s'appuyant sur leur évaluation des interactions de quinze minutes de ces couples.

Ce rapport s'avère également primordial en milieu de travail. Une récente étude a démontré que les groupes de travail dont le rapport entre les interactions positives et négatives est supérieur à 3 contre 1 s'avèrent considérablement plus productifs que les équipes qui n'atteignent pas ce rapport. La modélisation mathématique des rapports positifs contre négatifs, de Fredrickson et Losada, suggère aussi cependant l'existence d'une *limite maximale* : Les choses peuvent empirer si le rapport excède les 13 contre 1.

Bien que le présent livre mette l'accent principalement sur les moyens d'accroître les émotions positives, il importe de remarquer que nous ne recommandons à personne de faire fi de la négativité et des faiblesses ; *la positivité doit être bien ancrée dans la réalité.* Une approche qui pousserait à nier tout ce qui est négatif risquerait de donner lieu à un faux optimisme qui s'avérerait improductif, et parfois des plus agaçants. Il y a des moments où il nous faut absolument corriger nos erreurs et découvrir comment gérer nos faiblesses.

Mais la plupart d'entre nous n'ont pas à se soucier de dépasser la limite maximale. Dans la majorité des organisations, les rapports positifs-négatifs sont malheureusement inadéquats et il y a bien matière à amélioration.

Trop d'émotions positives ?
Plus de 13 interactions
positives contre une
interaction négative
risque de nuire à la
productivité.

Accroître la longévité

Les émotions négatives peuvent mener à de graves problèmes. Des milliers d'études ont révélé les conséquences néfastes qu'exercent le stress, la colère et l'hostilité sur l'esprit et le corps. Par contraste, les émotions positives peuvent nous protéger contre les effets nocifs pour la santé et contre la dépression. Elles nous permettent de nous remettre plus rapidement de souffrances, d'un traumatisme et d'une maladie. Par ailleurs, les émotions positives peuvent contribuer à un accroissement de la longévité.

Des chercheurs qui ont effectué une étude auprès de 839 patients de la clinique Mayo sur une période de trente ans ont découvert un lien entre l'optimisme avec lequel les gens expliquent les événements de leur vie et un risque inférieur de mort prématurée. Et une étude qui a fait date, menée auprès de 180 religieuses catholiques âgées, a révélé que les religieuses dont les émotions étaient plus positives vivaient considérablement plus longtemps que les religieuses chez qui les émotions positives étaient plus rares. Les chercheurs ont étudié l'autobiographie que chacune avait écrite à la main au début de la vingtaine. La fréquence des émotions positives exprimées dans ces écrits de leur jeunesse a été enregistrée et comparée au taux de mortalité chez ces femmes lorsqu'elles se sont retrouvées entre l'âge de 75 et 95 ans.

Les résultats de cette étude se sont avérés stupéfiants. Les religieuses qui avaient indiqué faire l'expérience plus fréquemment d'émotions positives vivaient, en moyenne, environ dix ans de plus que les autres. Plus étonnant encore, vingt-cinq des religieuses du groupe qui vivait moins d'émotions positives étaient mortes au moment de l'étude, comparé

Accroître la longévité :
Le fait d'éprouver
plus d'émotions positives
peut rallonger une vie
de dix ans.

à seulement dix morts enregistrées dans le groupe parmi lequel les émotions positives étaient plus fréquentes.

Afin de mettre les choses en perspective, considérons qu'il a été prouvé que la cigarette réduit l'espérance de vie de 5,5 ans dans le cas des hommes et de 7 ans dans le cas des femmes. Ainsi donc, les émotions négatives raccourcissent peut-être l'espérance de vie de plus d'années que la cigarette. Pourtant, le directeur du Service de santé publique n'a encore émis aucun avertissement contre les émotions négatives, bien qu'il le devrait.

Les effets sur la santé physique et mentale

En plus d'accroître notre longévité, les émotions positives peuvent améliorer notre mieux-être physique et mental au quotidien. Une étude effectuée auprès de diplômés de Harvard a révélé que la manière dont les jeunes hommes expliquent les événements négatifs, avec pessimisme ou optimisme, a permis de prédire des problèmes de santé physique qui allaient survenir des décennies plus tard. Surtout, *l'optimisme adopté tôt dans la vie permettait de prédire une bonne santé plus tard dans la vie.*

D'autres études suggèrent que l'optimiste peut faire éviter un simple rhume et en raccourcir la durée. Selon certaines études destinées à analyser la numération globulaire, on a découvert que les optimistes possèdent plus de lymphocytes T auxiliaires, qui combattent les infections, que les pessimistes. On a découvert également que les optimistes consultent le médecin en moyenne moins d'une fois par année, alors que les pessimistes le consultent en moyenne plus de 3,5 fois par année. Le fait de favoriser les émotions positives dans votre vie pourrait même vous aider à minimiser vos frais médicaux.

Il est clair que les émotions positives affectent directement notre santé physique, mais que dire de notre santé mentale et de nos interactions avec autrui ?

Barbara Fredrickson, directrice du laboratoire d'étude des émotions positives et de psychophysiologie de l'université d'État du Michigan, a fait beaucoup de recherches sur le sujet. Et voici ce qu'elle en dit : « Les émotions positives servent bien plus qu'à simplement indiquer notre mieux-être. Elles servent également à nous aider à composer avec ce qui nous arrive et à créer le mieux-être. Or, elles le font non seulement pour l'agréable moment présent, mais encore à long terme… *Les émotions positives ne sont pas un luxe insignifiant, mais plutôt essentielles pour fonctionner au maximum.* »

En effet, Fredrickson en est venue à la conclusion que les émotions positives :

- ♦ nous protègent contre les émotions négatives et peuvent en annuler les effets ;

- ♦ procurent de la résistance et peuvent transformer les gens ;

- ♦ élargissent notre esprit, en nous encourageant à découvrir de nouvelles lignes de pensée et d'action ;

- ♦ renversent les barrières raciales ;

- ♦ bâtissent des ressources physiques, intellectuelles, sociales et psychologiques durables qui peuvent servir de « réserves » durant les périodes difficiles ;

- ♦ amènent les organisations et les gens à fonctionner le mieux possible ;

◆ améliorent le rendement d'un groupe dans son ensemble (lorsque les dirigeants expriment plus d'émotions positives).

Il semble que la science ne fasse que commencer à effleurer le sujet. Après avoir étudié les maladies mentales pendant des siècles, les experts en sont finalement venus à explorer le mieux-être mental et à tenter de le mesurer.

CHAPITRE QUATRE

L'histoire de Tom :
Un seau qui déborde

En lisant le présent livre, il se peut que vous vous demandiez : «Le fait d'être positif ou négatif n'est-il pas génétique et quelque peu difficile à changer?» La courte réponse à cette question est «oui». Nous connaissons tous des gens qui semblent être nés (et le sont probablement) avec une prédisposition à la négativité. Et vous avez sans aucun doute déjà rencontré aussi des gens qui semblent être naturellement d'une positivité à toute épreuve.

La communauté scientifique entretient diverses opinions à ce sujet. Certaines études suggèrent que la positivité et la négativité sont principalement enracinées dans la nature d'une personne; d'autres disent plutôt qu'elles tiennent au fait qu'on les entretient. La théorie la plus courante actuellement prône que la nature et l'entretien y contribuent tous les deux de manière importante, et peut-être à part égale.

Le psychologue de renom Ed Diener indique que notre capacité d'être heureux possède une «ligne de base», un peu comme notre poids corporel. De la même manière que certaines personnes sont prédisposées à être minces peu importe ce qu'elles mangent, ainsi il y en a d'autres qui ont tendance à être plus heureuses que la moyenne des gens. Mais notre degré d'émotion positive peut certainement croître ou décroître de beaucoup, selon ce qui nous arrive au fil du temps. Par ailleurs, entreprendre un régime plus riche en émotions positives et plus faible en émotions négatives ne pourrait certainement pas nous faire de tort.

Quel que soit le départ qu'un individu a connu dans la vie, le fait de remplir souvent son seau est susceptible d'accroître ses émotions positives. Pour en illustrer l'effet à long terme, nous avons décidé de vous raconter une histoire personnelle.

Un cadeau d'anniversaire

Peu après que nous avons commencé à travailler à la rédaction du présent livre, j'ai réalisé que l'anniversaire de Don approchait à grands pas. Étant donné que nous étions en train d'écrire un livre portant sur les émotions positives, j'ai décidé de lui écrite une lettre dans laquelle je lui expliquait à quel point le fait d'avoir rempli des seaux avait compté dans ma propre vie. Je me suis dit que ce cadeau d'anniversaire signifierait plus qu'un cadeau ordinaire. Et sachant que Don avait une lutte acharnée à livrer contre le cancer, j'ai pensé que le moment serait bien choisi pour lui exprimer mon appréciation et ma gratitude.

Lorsque j'étais très jeune, je me rappelle que Don disait que nous devrions nous réunir pour célébrer toutes les grandes choses qu'une personne avait faites tandis qu'elle était encore là pour participer à la célébration. Quand il assistait à des funérailles, cela le dérangeait de voir que tant de gens avaient attendu qu'on fasse le panégyrique d'un proche pour remplir généreusement son seau. « Pourquoi ne pas le faire de son vivant ? » avait-il l'habitude de demander.

C'est ainsi qu'à l'occasion du soixante-dix-neuvième anniversaire de Don je lui fis part de mon histoire personnelle. Lorsqu'il la lut, il en fut ému aux larmes. Quelques jours plus tard, Don me demanda de considérer la possibilité de raconter mon histoire dans le présent livre. Il disait que ce serait un bon moyen d'illustrer le principe qui consiste à remplir le seau des gens, et je lui donnai raison.

Vous trouverez donc plus loin l'histoire que je racontai à Don le jour de son anniversaire. Elle décrit en quoi le fait qu'on a souvent rempli mon seau a eu pour effet de façonner ma vie tandis que je grandissais.

Rechercher les premiers indices révélateurs de talents

En tant que premier enfant de ma génération à naître au sein de ma grande famille, je bénéficiai d'une méthode unique pour éduquer les enfants. Elle défiait assurément la sagesse conventionnelle de l'époque. Dès le jour de ma naissance, chaque membre de ma famille résolut de m'aider à me concentrer sur ce que je faisais de mieux. On me procura constamment du soutien et des encouragements.

Lorsque j'eus quatre ans, ma mère et ma grand-mère remarquèrent mon grand intérêt pour la lecture. Par conséquent, elles se mirent à s'asseoir avec moi pendant des heures d'affilée, pour m'aider à faire l'apprentissage de la lecture. Leurs enseignements, leur investissement de temps et leur attention firent une grande différence.

Quand des proches nous rendaient visite, ils me demandaient ce que j'étais en train de lire ou me posaient des questions précises sur les activités qui me plaisaient. Il m'apparaît maintenant clairement qu'ils étaient à l'affût d'indices qui leurs révéleraient mes aspirations et mes talents naturels. Dès l'instant où ma famille remarquait que je me passionnais pour une certaine chose, elle m'encourageait à en apprendre le plus possible sur le sujet. Elle ne se montrait jamais avare d'éloges et ne tardait jamais à me complimenter même sur la plus petite de mes réalisations.

Ensuite, lorsque j'avais huit ou neuf ans, ceux de mon entourage qui avaient pour habitude de remplir mon seau remarquèrent mon esprit d'initiative, et que j'aimais diriger mes pairs. Ainsi donc, quand j'avais dix ans, mon grand-père (Don) me suggéra de démarrer ma propre entreprise. L'idée m'ayant ravi, je décidai d'ouvrir un casse-croûte. Comme toujours, le reste de ma famille s'empressa de m'aider à poursuivre une nouvelle passion, et tous se rallièrent autour de ce projet.

Après quelques mois, ma petite entreprise fleurissait. «Biz Kids» avait suffisamment de clients pour lui permettre de dépasser l'étape qui consistait à s'approvisionner auprès du grossiste local, et un important distributeur de friandises accepta de donner à notre entreprise un tarif dégressif et de nous livrer la marchandise sur place. Nous en vînmes à dépasser le cap des friandises, pour nous étendre à la vente d'appareils et de petites marchandises. À douze ans, je dirigeais une entreprise qui employait plus de vingt de mes compagnons de classe, et nous avions réalisé quelques milliers de dollars en profits nets à nous partager. Après que j'eus été en affaires pendant quelques années, cette histoire fit les manchettes du journal local et fut reprise par la presse nationale.

Le fait qu'on avait tant investi en moi, qu'on m'avait donné tant d'attention et qu'on avait rempli si souvent mon seau faisait une différence marquée dans ma vie. Mon seau débordait, ce qui me permit de me concentrer sur le remplissage des seaux de tous ceux de mon entourage. À la fin de chaque mois, je remettais des récompenses et des chèques de commission selon le volume des ventes de chaque personne. C'était agréable de regarder mon propre remplissage de seaux encourager mes amis, les membres de ma famille et mes très jeunes collègues.

Tout au long de mon instruction, on continua ainsi à m'encourager positivement. Mes parents s'informaient tous les jours de mes classes préférées et de mes activités périscolaires. Et plutôt que de puiser dans mon seau lorsque je ne réussissais pas bien dans mes cours de musique ou d'arts plastiques, ils m'encourageaient à consacrer plus de temps à ce qui me procurait de la satisfaction personnelle.

Ils avaient remarqué que j'étais très analytique, et que j'aimais les chiffres et les actualités, ce qui fait qu'ils me recommandèrent de passer plus de temps à étudier les mathématiques et les sciences sociales. Même si mes notes étaient déjà excellentes dans ces deux matières, ma famille se rendait compte que mon instruction me rapporterait davantage si je consacrais plus de temps aux matières pour lesquelles je me passionnais de façon toute naturelle.

Contrairement à la plupart de mes professeurs et des parents de mes amis, mes parents n'étaient *pas* déterminés à faire de moi quelqu'un de bien équilibré. Étant donné qu'on aurait dit que je m'étais fait chirurgicalement enlever mon rythme à la naissance, ils comprenaient qu'ils me pousseraient en vain à devenir meilleur musicien ; j'atteindrais tout au plus la moyenne. Voici un vieux dicton qu'on entendait souvent chez moi : «N'essayez jamais d'enseigner à un porc à chanter. Cela vous fera perdre votre temps, et agacera le porc.» Jeune étudiant, je trouvais ce dicton très libérateur. Je n'avais pas à essayer d'être bon en tout. Je pouvais plutôt m'efforcer d'exceller dans les domaines pour lesquels j'étais naturellement doué.

Un foyer sûr et accueillant

Par contraste avec chez moi, je me rappelle combien j'étais dépaysé lorsque j'allais rendre visite à un ami de l'école primaire. Nous entrions chez lui pleins de cette énergie qui nous envahissait après l'école. Et la première chose que sa mère lui disait ressemblait toujours à quelque chose comme :

> *« T'ai-je dit que tu pouvais amener un ami à la maison ? »*
>
> *« As-tu encore fait des tiennes à l'école ? »*
>
> *« T'as intérêt à ne pas avoir raté cet examen ! »*

Il se peut que ces paroles aient été parfois méritées. Mais j'étais toujours étonné de constater que les premières paroles à franchir les lèvres de sa mère étaient si négatives. Tous les jours, à son retour à la maison, une autre de mes compagnes de classe trouvait sur son lit une liste de remarques négatives écrites à la main, sur laquelle se lisaient des phrases comme : « Tu dois améliorer ton attitude. » Pour moi, ces foyers n'étaient pas très accueillants, surtout que j'avais l'habitude à mon arrivée à la maison d'entendre des choses comme :

> *« Comment était l'école aujourd'hui ? »*
>
> *« Qu'as-tu envie de faire cet après-midi ? »*
>
> *« Voudrais-tu me montrer un des travaux que tu as faits aujourd'hui ? »*
>
> *« Les gars, avez-vous pu jouer au basket-ball (notre sport préféré) en classe de gymnastique aujourd'hui ? »*

Au début, je me disais que ces amis devaient avoir une famille en difficulté. Mais au fil du temps, j'en vins à réaliser que cette situation était monnaie courante. Avec du recul, je me demande si cela explique que mes amis et moi ayons passé tant de temps chez moi pendant que nous grandissions. Lorsque nous étions là, on remplissait nos seaux par un soutien positif et des encouragements. Mon foyer était une sorte de « port d'attache » où nous pouvions aller pour refaire le plein d'émotions positives avant de retourner dans le vrai monde chargé de négativité.

Relever un défi de taille

Ma vie continua de se dérouler de cette façon positive, jusqu'à ce que j'atteigne mes seize ans. Là, je commençai à souffrir d'une mauvaise vision de l'œil gauche et me retrouvai confronté à mon premier grand obstacle dans la vie.

Les médecins découvrirent de multiples tumeurs dans mon œil et durent me faire subir plusieurs opérations importantes. Un an plus tard, j'avais perdu toute la vision de mon œil gauche, pour toujours. En plus, ma condition indiquait la possibilité que je souffre d'une « anomalie génétique » qui faisait que des tumeurs se développeraient sporadiquement dans tout mon corps. Un examen de mon A.D.N. confirma que j'étais atteint d'un mal extrêmement rare : la maladie de von Hippel. Ainsi, des tumeurs risquaient de se développer dans mon pancréas, mes reins, mes tympans, mes glandes surrénales, mon cerveau et ma colonne vertébrale sans le moindre avertissement.

Lorsque je reçus cette nouvelle pour la première fois, ce fut le choc, et cette annonce me rendit nerveux. Mais, dans une certaine mesure, je fus surpris de constater combien la nouvelle affecta peu mon moral. Dès ce jour, plutôt que de me concentrer sur les aspects négatifs et incontrôlables de cette maladie, ma famille m'aida à me concentrer sur ce qui *pouvait* être fait. Bien qu'un fort degré d'appréhension m'habitait, je ne me suis jamais senti déprimé. À un point tournant de ma vie, ce type d'attention soutenue et de positivité exerça sur moi une influence remarquable.

Moins d'une semaine après avoir reçu cette nouvelle, je m'étais lancé tout entier à la recherche du moyen de gérer ce trouble et de vivre avec lui. Lorsque mes amis s'enquéraient de la perte de vision de mon œil gauche, je leur indiquais promptement que la vision de mon œil droit était de 20/10, soit bien meilleure que celle de la moyenne des gens.

Rétrospectivement, je constate que la clef de la réussite consistait à ne pas considérer le pronostic du médecin comme une sorte de malédiction ou de sentence de mort, mais plutôt comme l'occasion pour moi d'agir de manière proactive et de garder la main haute sur ma santé physique.

Après avoir approfondi ma connaissance de cette maladie rare, j'en vins à découvrir que la plupart des tumeurs associées à cette condition étaient contrôlables, si on les dépistait et les traitait tôt. Je résolus donc de vérifier mes progrès en subissant régulièrement des scanographies et des bilans de santé.

Entre-temps, les choses continuèrent presque exactement comme avant – sur les plans social, athlétique et scolaire. Ma vie de tous les jours ne changea aucunement. Au cours des nombreuses années qui s'écoulèrent ensuite, je ne repensais à ma condition qu'une fois tous les six à douze mois, soit à l'occasion de mes bilans de santé. Bien entendu, le fait de devoir attendre de recevoir mes résultats d'IRM et de tomodensitographie me rendait anxieux. Mais je veillais à garder ces émotions dans la bonne perspective. De plusieurs manières, mon assurance et mon moral étaient plus solides que jamais.

Ma stratégie consistait à relever ces défis de front. Je ne suis pas sûr d'avoir été entièrement conscient de mon attitude à l'époque, mais je ne me laissais pas dépasser par ces problèmes. Une décennie plus tard, mes amis intimes m'ont avoué combien à l'époque ils avaient craint et s'étaient inquiétés pour moi. Mais ils se rappellent aussi avoir été renversés par mon attitude positive. Même s'ils savaient que je restais maître de la situation, ils n'arrivaient pas à croire que je ne me sois pas inquiété jour après jour de mon état de santé. Avec du recul, c'était comme si j'avais acquis une sorte d'étrange immunité mentale que personne n'arrivait à comprendre.

Mais il n'y avait rien d'étrange ni d'incompréhensible dans cela : Les gouttes que mes amis et ma famille ont versées chaque jour dans mon seau *y ont accumulé une réserve qui m'a soutenu durant les périodes difficiles.*

Un surplus d'émotions positives

Lorsque j'étais au lycée, les membres de ma famille continuèrent de souligner des points forts précis qu'ils remarquaient en moi, ce qui m'aida beaucoup à me fixer des priorités et à donner forme à mes ambitions. Avant même ma dernière année de lycée, je savais déjà que je voulais étudier la psychologie à l'université. J'aimais passionnément faire des recherches et en apprendre sur ce qui fait fonctionner les gens, ce qui me poussa à rechercher les bonnes facultés de psychologie dans tout le pays et à m'y inscrire. Bien entendu, les membres de ma famille m'appuyèrent formidablement dans mon choix d'aller étudier à l'extérieur. Ils m'aidèrent à remplir mes demandes d'admission et m'accompagnèrent dans ma visite de plusieurs universités.

Le soutien positif de ma famille me permit de m'adapter rapidement à mon nouveau milieu universitaire. Bien qu'elle se soit trouvée à plus de 1 600 km de là, elle trouva quand même le moyen de remplir régulièrement mon seau. Durant mes trois premières années d'université, tout se déroula bien.

Malheureusement, d'autres défis m'attendaient encore.

En dernière année d'université, un examen médical révéla la présence d'une tumeur dans une de mes glandes surrénales. Cinq ans plus tard, les médecins trouvèrent des tumeurs cancéreuses dans mes reins. Tandis que je travaillais à la rédaction du présent livre, des scanographies révélèrent que plusieurs nouvelles tumeurs étaient apparues dans mon pancréas, mes glandes surrénales et ma colonne vertébrale.

Dans chaque cas, je ressentis une certaine crainte et de la frustration au début. Mais ma réaction la plus mémorable m'est venue sous la forme d'un sentiment de soulagement que j'éprouvai lorsque j'appris que ces tumeurs avaient été dépistées avant qu'elles n'aient eu le temps de métastaser et de s'étendre à d'autres organes. Ma vigilance et ma conscience de la maladie donnaient leurs fruits. Chaque problème pouvait être enrayé au moyen d'une chirurgie. Je lus donc le plus d'articles possibles portant sur le problème médical en question, souhaitant comprendre pleinement les options chirurgicales qui s'offraient à moi et les risques y étant associés. Je concentrais toute mon énergie sur ce qui *pouvait* être fait, et non sur ce qui s'était déjà produit et sur ce qui ne relevait pas de ma volonté.

Jusqu'à aujourd'hui, je ne me suis jamais arrêté à me demander : *Pourquoi tout cela m'est-il arrivé ?* C'est la vérité.

Il m'est arrivé d'être frustré, mais je ne me suis jamais plaint de mon sort – et il y a une grande différence entre les deux.

Personnellement, je n'ai jamais vu dans ces situations aucune bonne raison de fainéanter en me concentrant sur le négatif ou en m'apitoyant sur mon sort. Cela ne m'aurait avancé à rien. Sans compter qu'une telle complaisance aurait pu empirer ma santé émotionnelle et physique.

Bien que la menace de diverses formes de cancer pèse sur moi tous les jours, je ne me connais d'autre solution que de me concentrer sur ce qui peut être encore fait pour garder une longueur d'avance sur cette maladie. Et je peux dire en toute honnêteté qu'il m'est facile de maintenir cette attitude au jour le jour.

Pourquoi ? C'est simple : Après avoir vécu pendant presque trois décennies, je ne me rappelle pas une seule journée où mon seau n'a pas été rempli encore et toujours par les membres de ma famille et mes amis.

Nous avons tous besoin d'un seau bien rempli

Mon cas est, de toute évidence, un exemple extrême de remplissage de seaux. Si je lisais cette histoire pour la première fois, elle me semblerait peut-être même avoir été inventée. Mais permettez-moi de vous assurer de son entière véracité. Compte tenu des défis que je suis appelé à relever sur le plan physique, cette forte dose de remplissage de seaux m'a littéralement sauvé la vie.

Nous avons tous la certitude d'avoir de grands défis à relever au cours de notre vie. Souvent, nous avons le sentiment d'avoir «de mauvaises cartes en main» et que la vie est injuste. Mais nous n'avons pas à nous laisser définir par nos épreuves. La manière dont nous réagissons aux événements difficiles et notre état émotionnel sont beaucoup plus importants. Le renforcement positif que nous valent nos points forts peut nous protéger contre le fait d'être dépassés par ce qui nous arrive de négatif. Et en venir à comprendre ce que nous faisons le mieux nous permet non seulement de survivre, mais encore de grandir, lorsque nous nous heurtons à l'adversité.

CHAPITRE CINQ

Rendre la situation personnelle

I l faut reconnaître que l'histoire personnelle que vous venez de lire est inhabituelle, mais sachez qu'il existe d'innombrables exemples dans lesquels le fait d'avoir fréquemment rempli le seau d'une personne a eu pour effet d'améliorer sa vie et de la rendre plus productive. En fait, il s'agit d'une réalité qui s'observe constamment dans les milieux de travail exceptionnels.

Vous rappelez-vous le représentant du service à la clientèle du chapitre deux, qui vous a si bien traité lorsque vous lui avez téléphoné pour lui exposer votre problème ? Eh bien, supposons qu'il vous ait impressionné au point que vous lui ayez demandé son nom. Supposons aussi que vous ayez rappelé plus tard pour dire au superviseur de «Ted» comment celui-ci était parvenu à gagner votre clientèle. Tandis que vous donnez des détails sur «sa voix chaleureuse» ou «son efficacité à régler les problèmes», le superviseur griffonne des notes aussi vite qu'il le peut.

Trente minutes plus tard, tandis que Ted achève un appel lors duquel il a réussi à gagner un client en colère de plus à sa façon de voir (oui, c'est ce qu'il fait toute la journée), il reçoit un nouveau courriel de son patron.

En ouvrant son message, Ted remarque en premier lieu qu'une copie de celui-ci a été envoyée à plusieurs de ses amis. Le message a pour objet : « Vous avez fait une différence aujourd'hui. » Du coup, Ted set met immédiatement à parcourir le corps du texte, dans lequel son superviseur décrit dans les moindres détails la manière dont Ted s'y est pris pour vous gagner à sa façon de voir. En décrivant la scène au profit de Ted et de ses pairs, il inclut plusieurs citations tirées directement de votre conversation. En conclusion, le superviseur de Ted explique en quoi les actions de Ted ont eu pour effet non seulement de donner satisfaction à un client, mais encore de « rendre la vie beaucoup plus facile à ce client ce jour-là ».

En lisant le message, Ted a du mal à réprimer le large sourire qui se dessine sur son visage. Bien qu'il soit fatigué de la longue journée de travail au cours de laquelle de nombreux clients l'ont admonesté, il se découvre soudain un regain d'énergie grâce à ce message.

Le patron de Ted sait comment exceller dans l'art de remplir le seau d'une personne : *La reconnaissance est le plus appréciée et le plus efficace lorsqu'elle est personnalisée, précise et méritée.* De toute évidence, il comprend que le fait d'écrire un courriel et d'en envoyer une copie aux pairs de Ted aura pour effet de faire déborder le seau de ce dernier. Peut-être le patron de Ted sait-il aussi que la même approche ne fonctionnera pas avec les collègues de Ted, parmi lesquels certains préféreraient peut-être se faire simplement tapoter le dos en guise d'approbation ou se faire louanger haut et fort lors d'une réunion.

Là où je veux en venir, c'est qu'il existe des moyens uniques et précis pour remplir le seau de chaque personne – et très certainement aussi des moyens inconvenants.

Les récompenses génériques du genre « taille unique » ne fonctionnent pas. Pas plus que celles qui semblent forcées ou fausses.

Il arrivera également que la reconnaissance qui, selon vous, allait inspirer un employé se retourne contre vous de la pire des manières, et la plus publique.

Le scénario cauchemardesque

Considérons l'histoire vraie de Susan, cadre supérieur, et de Matt, son meilleur représentant du service à la clientèle. Les événements suivants se produisirent dans une grande compagnie d'assurance que Gallup consulta dans les années 1980. Lorsque Susan devint chef de division au sein de cette organisation, elle eut tôt fait d'apprendre que sa réussite dépendrait de sa capacité d'inciter son équipe de représentants du service à la clientèle à améliorer son rendement.

À un moment donné de sa carrière, Susan était elle-même représentante du service à la clientèle. À l'époque, elle aimait beaucoup gagner des grands prix et se faire applaudir à tout rompre par une foule composée de ses collègues. Durant ses journées de travail, elle regardait parfois certaines de ses plaques murales préférées et se remémorait la bouffée de chaleur qu'elle avait ressentie en gagnant le prix en question. Cela lui donnait vraiment des ailes.

Ainsi donc, Susan décida d'organiser une grande cérémonie de remise de prix afin de souligner le mérite de ses représentants du service à la clientèle. Elle tint l'événement dans le plus bel hôtel de la ville. Elle y convia tous les représentants et leurs familles respectives, et elle retint les services d'un conférencier de renom et de quelques grands artistes du spectacle.

La dernière partie du programme était consacrée à la remise des plus grands prix de fin d'année destinés aux représentants ayant fourni le meilleur rendement individuel pendant l'année en cours. Afin de souligner encore mieux le mérite de Matt, le plus productif de ses représentants, Susan réserva son prix pour la toute fin. Elle souhaitait que cette présentation soit le clou de la soirée. Le chevalet recouvert d'une draperie qui se trouvait sur la scène suscitait bien des bavardages et une grande attente.

Susan espérait que ce prix motiverait Matt pendant de nombreuses années à venir, si bien qu'avant de le déclarer représentant le plus productif, Susan dressa la liste détaillée de toutes les réalisations de l'employé vedette et le couvrit d'éloges. Ensuite, elle dévoila le prix et le tint au-dessus de sa tête tandis qu'elle donnait le nom du récipiendaire. C'était le moment auquel Susan s'était préparée mentalement au cours des semaines précédentes. Elle avait même imaginé la jubilation sur le visage de Matt.

À la grande surprise de Susan, c'est tout le contraire qui se produisit : *Matt était furieux !* L'expression douloureuse qui se lisait sur son visage et son langage corporel trahissant l'hostilité en disaient long.

C'est un représentant en colère qui se rendit au microphone pour se mettre à expliquer au groupe qu'il ne voulait même pas de ce prix, qu'il ne s'agissait que d'une plaque sans la moindre signification pour lui. Il ajouta qu'il en possédait déjà tout un tas ; il n'avait donc pas besoin d'en avoir une de plus.

Ce fut la pire soirée que vécut Susan de toute sa vie. Non seulement ce fiasco eut pour résultat d'affecter le moral du groupe, mais encore Susan se retrouvait désormais en position de devoir trouver le moyen de reconquérir son meilleur représentant du service à la clientèle. Par conséquent, après que Susan eut surmonté le choc que lui avait causé toute l'affaire, elle se mit à réfléchir au moyen pour elle de souligner le bon rendement de Matt à l'avenir.

Une approche du genre « une taille unique ne va pas à tous »

Susan commença par en apprendre davantage au sujet de Matt. Ce faisant, elle découvrit que cet employé vedette aimait ses deux fillettes plus que tout. Chaque fois que Matt parlait d'elles, son visage s'illuminait. Au bureau, il montrait tout le temps les photos les plus récentes de ses filles.

L'année suivante, Matt s'était encore classé parmi les meilleurs représentants du service à la clientèle. Déterminée à voir la cérémonie de remise des prix être couronnée de succès cette fois-là, Susan téléphona à la femme de Matt pour lui demander d'emmener ses deux filles chez le meilleur photographe de la région pour les faire photographier professionnellement, et de garder la chose secrète.

La grande soirée arrivée, tout était en place. Susan entama la cérémonie en parlant d'un homme très spécial. Elle décrivit non seulement le meilleur représentant du service à la clientèle, mais encore le père de famille passionné qu'il était. Ensuite, Susan dévoila le merveilleux portrait des deux charmantes filles de Matt.

Matt se rua immédiatement vers la scène pour serrer Susan dans ses bras. Il avait les yeux pleins de larmes. Toute la salle en fut émue. Matt n'aurait pu imaginer prix plus significatif et plus personnel, ce qui changea pour toujours la perception qu'il avait de sa patronne et de son travail.

Individualiser, individualiser, individualiser

Ici, la leçon est claire : Si vous voulez qu'une personne comprenne que vous accordez de la valeur à ses contributions et qu'elle compte pour vous, la reconnaissance et les éloges que vous lui exprimez doivent avoir une signification pour elle.

Non seulement le fait de remplir des seaux de manière individuelle réussit mieux à favoriser la productivité sur un lieu de travail, mais encore il permet de nouer des relations durables et de changer la vie des gens pour toujours.

CHAPITRE SIX

Cinq stratégies pour accroître les émotions positives

Afin d'accroître les émotions positives dans votre vie et dans celle d'autrui, vous devez prendre l'habitude de remplir des seaux. Cela, vous le savez déjà. Nous savons effectivement que nos relations, notre carrière et notre vie seront bien plus satisfaisantes si nous augmentons l'expression d'émotions positives autour de nous.

Mais le simple fait de le *savoir* ne suffit pas. Comme pour tout objectif de vie, vous devez disposer de plans spécifiques et réalisables visant à transformer de bonnes intentions en réalités. Voilà pourquoi nous avons consulté notre base de données contenant plus de 4 000 réponses à des entretiens non directifs portant sur le sujet et nous en avons réduit la liste à cinq stratégies qui ne manqueront très certainement pas de produire des résultats.

Les cinq stratégies

PREMIÈRE STRATÉGIE
Éviter de puiser dans les seaux

DEUXIÈME STRATÉGIE
Mettre en lumière ce qui va

TROISIÈME STRATÉGIE
Se faire un meilleur ami

QUATRIÈME STRATÉGIE
Donner à l'improviste

CINQUIÈME STRATÉGIE
Inverser la règle d'or

PREMIÈRE STRATÉGIE

Éviter de puiser dans les seaux

Tout comme nous devons nous mettre à éliminer nos dettes avant de pouvoir faire de réelles économies, nous devons nous mettre à éliminer le vidage de seaux avant de pouvoir vraiment commencer à remplir des seaux.

Après avoir entendu la théorie de la louche et du seau, un homme que nous connaissons décida de la mettre à l'épreuve. Il cherchait un moyen d'arrêter de puiser dans le seau des autres. Il mit donc au point une habitude qui consistait à se demander pour chacune de ses interactions s'il remplissait ou vidait le seau de l'autre personne. Il nous indiqua qu'il avait trouvé difficile d'acquérir cette habitude au début, mais qu'après un certain temps il avait réalisé qu'elle fonctionnait. En se reprenant avant même d'exprimer une remarque négative – pour en faire une plus positive à la place dans certains cas –, il se mit à améliorer sa qualité de vie, et celle des gens de son entourage.

Au cours des jours à venir, essayez de vous surprendre en train de vider le seau de quelqu'un, et arrêtez-vous. Remémorez-vous vos interactions les plus récentes. Vous êtes-vous moqué de quelqu'un ? Avez-vous mis le doigt sur une source d'insécurité ? Avez-vous dénoncé sans vergogne une faute que la personne aurait commise ? Si c'est le cas, essayez la prochaine fois d'appuyer sur « pause » dans votre esprit.

Une fois que vous serez parvenu à vous empêcher vous-même de puiser dans le seau d'autrui, encouragez les gens de votre entourage à en faire autant. Les membres de votre groupe de travail ou vos camarades de classe ont-ils pour habitude de critiquer les autres ou de se moquer d'eux ? Les avez-vous déjà vus faire équipe pour puiser ensemble dans le seau de quelqu'un ? La prochaine fois que vous serez témoin du vidage d'un seau, intervenez. Convainquez les personnes concernées qu'une négativité injustifiée ne fait qu'empirer les choses.

La réalité, c'est qu'il y a des gens au négativisme invétéré et à l'attitude blessante qui ne changeront tout simplement pas, en dépit de vos meilleurs efforts. Ils possèdent une louche au long manche, qu'ils ont bien l'intention d'utiliser. Si le fait de leur servir d'exemple ne suffit pas, alors tenez-vous loin de ce type de personne autant que faire se peut, pour votre propre mieux-être et votre santé émotionnelle.

Une fois que vous aurez commencé à vous empêcher consciemment de puiser dans le seau des gens, suivez vos progrès *en donnant une note à vos interactions*. Vous avez bien lu : Réfléchissez aux dernières conversations que vous avez eues. Déterminez si, dans l'ensemble, chaque interaction était plus positive ou plus négative. Notez chacune dans votre esprit en lui accordant soit un « + », soit un « - ». Si nécessaire, mettez-les par écrit. À cette fin, nous avons intégré une feuille de travail à notre site Web : www.bucketbook.com (version anglaise seulement).

La majorité de ces interactions étaient-elles positives ou négatives ?

En évaluant ce qu'il faudra pour remplir le seau de vos amis, des membres de votre famille, de vos collègues et d'autres personnes, demandez-vous maintenant : « Que me faudra-t-il faire pour atteindre ce "rapport magique", de cinq interactions positives contre une interaction négative, au sujet duquel j'ai lu au chapitre trois ? »

DEUXIÈME STRATÉGIE

Mettre en lumière ce qui va

Chaque interaction nous fournit l'occasion de mettre en lumière ce qui va, et donc de remplir un seau.

Une de nos amies a découvert dernièrement le pouvoir que procure le fait de se concentrer sur *ce qui va*. Malheureuse en mariage, il y avait des semaines qu'elle pourchassait son mari pour qu'il change. Il ne semblait pas intéressé à passer beaucoup de temps en sa compagnie, et lorsqu'elle s'en plaignait, il se mettait sur la défensive. Par conséquent, elle s'est mise à attirer encore plus l'attention sur les choses qui l'agaçaient, dans l'espoir qu'il le remarquerait. Tout cela pour constater que la situation ne semblait que s'envenimer.

Réalisant que le fait de dire à son mari combien il la décevait ne fonctionnait pas, elle a décidé de tenter une expérience : Elle s'est mise à attirer l'attention sur ce qu'il faisait bien et sur ce qui lui plaisait chez son mari. Elle était sceptique, mais elle n'avait rien à perdre. Que croyez-vous qui se soit produit ? Après plusieurs jours, son mari s'est retrouvé de meilleure humeur lorsqu'il rentrait à la maison et mieux disposé à s'investir dans leur relation. Son attention et son attitude chaleureuse ont commencé à remplir le seau de sa femme, au même titre que l'attitude positive de sa femme envers lui avait eu pour effet de remplir le sien.

Mais le plus inattendu dans toute l'histoire, c'est qu'elle s'est sentie plus heureuse, en soi, du fait de se concentrer sur le positif plutôt que de s'appesantir sur le négatif. Et cela l'a amenée, en retour, à se montrer beaucoup plus positive dans ses relations avec d'autres personnes. Après quelques semaines, son mari et elle en étaient venus à transmettre cette nouvelle énergie à leurs amis et à leurs collègues.

Ne sous-estimez jamais l'influence à long terme qu'exerce le fait de remplir le seau des gens. Selon la doctoresse Barbara Fredrickson, les émotions positives ont pour effet de créer « des chaînes d'événements interpersonnels », dont il est possible que vous ne voyiez jamais l'incidence profonde de vos propres yeux. Mais elle n'en demeure pas moins bien réelle.

Chaque fois que vous remplissez un seau, vous mettez quelque chose en route.

Considérez ceci : Si vous remplissez deux seaux par jour, et que les propriétaires de ces deux seaux en remplissent deux autres, plus de mille seaux seront remplis après dix jours. Si chacune de ces mêmes personnes remplissait cinq seaux plutôt que deux, plus de *19 millions* de seaux seraient remplis en seulement dix jours !

Poursuivez donc la chaîne : Lorsqu'une personne remplit votre seau, acceptez-le – ne niez pas son geste et ne le diminuez pas. Remplissez son seau à votre tour, en la remerciant, lui indiquant ainsi que vous appréciez son compliment ou sa gratitude. En conséquence, il y aura plus de chances que vous partagiez votre énergie positive renouvelée avec d'autres personnes.

Aimeriez-vous évaluer combien vous remplissez de seaux comparé aux autres ? Sur notre site Web, vous trouverez un test d'incidence positive de quinze questions ayant été conçu précisément à cette fin. (La liste de ces questions figure en version française à la page suivante.) Nous avons créé ce test dans le but de vous aider à déterminer si vous remplissez régulièrement des seaux.

Nous vous encourageons à effectuer cette évaluation sans tarder, afin que vous disposiez d'une note initiale qui vous indiquera si vous avez une *faible incidence*, une *certaine incidence* ou une *grande incidence* sur votre entourage. Vous pourrez également voir dans quelle mesure votre note se compare à celle d'autres personnes, selon les résultats d'un sondage Gallup.

Si votre note est faible au début, ne vous en inquiétez pas. Cette évaluation vise à vous fournir une mesure favorisant l'amélioration continue. Les questions servent à évaluer les domaines clés de votre progression. Si vous souhaitez chercher encore plus activement à progresser dans l'art de remplir des seaux, considérez la possibilité d'imprimer la liste de ces questions à partir du site Web (version anglaise seulement), afin de vous en servir comme d'un guide d'amélioration.

Si vous voulez voir dans quelle mesure votre note se compare à celle de vos amis, transmettez-leur le lien. Il pourrait être intéressant d'identifier les gens qui réussissent le mieux à remplir des seaux au sein de votre groupe de travail, de votre cercle d'amis ou de votre famille. Essayez-le dès maintenant, et de nouveau dans quelques mois. Voyez si votre note se sera améliorée.

Test d'incidence positive

1. Je suis venu en aide à quelqu'un au cours des 24 dernières heures.

2. Je suis quelqu'un d'exceptionnellement courtois.

3. J'aime côtoyer des gens positifs.

4. J'ai fait l'éloge d'une personne au cours des 24 dernières heures.

5. J'ai le chic pour faire en sorte que les gens se sentent bien.

6. Je suis plus productif lorsque je suis entouré de gens positifs.

7. Au cours des 24 dernières heures, j'ai dit à quelqu'un que je me souciais de lui.

8. Je veille à faire la connaissance des gens qui se trouvent sur mon chemin partout où je vais.

9. Lorsque je reçois de la reconnaissance, cela me donne le goût d'exprimer la mienne à quelqu'un d'autre.

10. Au cours de la dernière semaine, j'ai écouté quelqu'un parler de ses objectifs et de ses ambitions.

11. Je fais rire les gens malheureux.

12. Je veille à appeler chacun de mes collègues par le nom qui lui plaît.

13. Je remarque ce que mes collègues font avec excellence.

14. Je souris toujours aux gens que je rencontre.

15. Je me plais à louanger les gens qui se conduisent bien.

TROISIÈME STRATÉGIE

Se faire un meilleur ami

À l'école primaire, les élèves aiment souvent côtoyer les équipes sportives, les chefs de claque, les troupes ou autres groupes périscolaires, même si l'activité en question ne convient pas parfaitement à leurs intérêts. S'ils ne s'y font pas pousser par leurs parents et n'y réussissent pas bien, pourquoi y restent-ils donc ? Peut-être pour la même raison que des employés restent dans une organisation moins qu'idéale, voire malsaine : ils y ont probablement un meilleur ami.

En y réfléchissant bien, vous constaterez que la plupart d'entre nous se joignent à des groupes, à des équipes et à des organisations, et y restent, parce qu'ils y ont un meilleur ami. Nous employons le terme « meilleur ami » parce qu'en étudiant les lieux de travail exceptionnels, nous avons découvert que le fait d'avoir des « amis », de « bons amis » ou des « amis intimes » au travail n'avait pas autant d'importance que d'avoir « un *meilleur* ami au travail ». Les gens qui ont un meilleur ami au travail possèdent de meilleures fiches de sécurité, donnent plus de satisfaction à la clientèle et accroissent la productivité sur leur lieu de travail.

Bien que le terme « meilleur ami » implique une certaine exclusivité, il ne signifie pas nécessairement que vous deviez vous limiter à un seul ami très intime. Nous irons même jusqu'à vous recommander d'avoir plusieurs relations de type « meilleur ami » sur votre lieu de travail, chez vous et dans vos cercles sociaux.

D'excellentes relations augmentent considérablement la satisfaction de vivre. Le psychologue de renom Ed Diener a découvert ceci : « Les gens les plus heureux ont des relations sociales de grande qualité. » Diener et d'autres chercheurs ont constaté que les gens solitaires, par contre, souffrent psychologiquement.

Repensez à certaines de vos meilleures relations. Elles se sont probablement formées au fil d'une série d'interactions positives. En effet, vous risquez fort peu de vous lier d'amitié avec une personne si la majorité de vos interactions initiales avec elle sont négatives. Rappelez-vous cela lors de vos premières interactions avec une nouvelle connaissance.

Commencez par apprendre le nom des gens que vous voyez régulièrement – et dans chaque cas, veillez à retenir le nom que la personne préfère qu'on utilise. Bien entendu, même si cela pourra vous sembler peu de chose, ce geste est susceptible de faire grande impression sur eux. Il est difficile de nouer une relation avec quelqu'un dont on ignore le nom. Vos connaissances pourraient ne pas tarder à devenir vos amis.

Que vous souhaitiez nouer plusieurs relations ou simplement quelques-unes qui soient profondes, votre meilleure approche consistera à remplir le seau d'une personne lors de votre toute première interaction avec elle. Il s'agit d'un moyen puissant pour nouer de nouvelles relations, et pour cimenter celles que vous entretenez déjà. En fait, vos amitiés ont peu de chances de survivre, encore moins de s'approfondir, si vous ne remplissez pas régulièrement le seau de l'autre.

Mettez ce concept à l'œuvre aujourd'hui même. Commencez par les gens les plus importants de votre vie. Dites-leur combien ils comptent pour vous et pourquoi. Ne présumez pas qu'ils le savent déjà – même si c'est le cas, ils aimeront probablement vous l'entendre dire de toute manière. Continuez d'en apprendre davantage sur ce qui contribue à les faire grandir ; soyez le catalyseur d'une relation encore plus confiante, durable et positive.

Écoutez vos amis de manière positive et inconditionnelle. Soutenez-les dans leurs entreprises. Encouragez-les. Soyez pour eux un mentor, ou tout au moins quelqu'un vers qui ils savent toujours pouvoir se tourner pour recevoir une parole gentille.

Mais ne vous limitez pas à votre famille et à vos amis. Au travail, devenez la personne connue pour remarquer le bon travail des autres. Apprenez quelque chose de nouveau au sujet de chaque personne avec qui vous travaillez ou vous interagissez. Créez des interactions positives avec vos connaissances, même avec les étrangers.

Vous verrez peut-être ainsi de plus en plus de gens rechercher votre compagnie.

QUATRIÈME STRATÉGIE

Donner à l'improviste

Au chapitre trois, nous avons fait mention d'une séquence de l'émission *Today* dans laquelle un étudiant troublé avait décrit en quoi les paroles d'encouragement d'un professeur avaient complètement transformé sa vie. Eh bien, ce matin-là, l'émission de Katie Couric nous réservait quelques autres rebondissements. Aussitôt que le jeune homme, Brian Bennett, termina de raconter son histoire, Couric lui fit la surprise de faire venir sur le plateau de tournage la maîtresse d'école en question. Le visage de Brian s'illumina lorsqu'il vit la femme s'approcher avec son mari, qui avait compté parmi ses professeurs de lycée préférés.

Or, ces deux mentors n'étaient nuls autres que Barbara et Mac Bledsoe, les parents du quart-arrière étoile de la NFL Drew Bledsoe. Après leurs retrouvailles de quelques instants, Couric annonça qu'elle avait une autre surprise pour Brian : Drew Bledsoe entra à son tour, et remit à Brian son maillot et un ballon de foot-ball. Ce cadeau inattendu eut pour effet de submerger Brian d'émotions positives.

Selon un récent sondage, la grande majorité des gens préfèrent recevoir des cadeaux inattendus. Les cadeaux auxquels on s'attend permettent effectivement de remplir notre seau, mais pour une certaine raison, le fait de recevoir des choses inattendues remplit notre seau un petit peu plus encore.

Et le cadeau en question n'a pas besoin d'être gros pour connaître le succès.

Le luxueux détaillant Saks Fifth Avenue fit un jour une expérience dans le cadre de laquelle les vendeurs offraient à l'improviste aux clients qu'ils savaient peu fidélisés un petit cadeau surprise. Bien qu'il ne s'agissait que d'un simple gage de l'appréciation de Saks, les clients en raffolèrent, de même que les vendeurs. Ce programme contribua à augmenter le chiffre d'affaires des boutiques, en transformant des acheteurs occasionnels en clients réguliers.

Un cadeau inattendu n'a pas non plus à être tangible. Il peut s'agir d'un cadeau sous forme de confiance ou de responsabilité. Faire part de quelque chose de personnel ou confier un secret à un ami peut servir à remplir son seau.

Dans vos propres interactions, recherchez des occasions de faire de petits cadeaux aux gens à l'improviste – peut-être un gadget rigolo, une accolade, ou une invitation à prendre un café. Même un sourire peut être un cadeau inattendu et précieux. Considérez la possibilité de partager quelque chose sans qu'on s'y attende. Quels livres, articles ou histoires pourriez-vous envoyer à quelqu'un qui pourraient influer positivement sur sa vie ?

Dans le même esprit que le don inattendu, voici un cadeau de nous à vous. Nous tenons à vous communiquer quelque chose qui a déjà aidé plus d'un million de gens à découvrir leurs points forts. Le fruit de décennies d'études Gallup, ce cadeau a été utilisé dans quarante-huit pays et constitue la pierre angulaire de plusieurs des livres de Don, y compris son succès de librairie national *Découvrez vos points forts dans la vie et au travail.*

Il s'agit du Clifton StrengthsFinder. Don créa cette évaluation sur site Web afin d'aider les gens à découvrir leurs talents. Des recherches ont démontré que les gens qui effectuent cette évaluation et qui apprennent à connaître leurs points forts sont plus sûrs d'eux, plus positifs, plus productifs, et s'orientent mieux dans la vie. Ils ont aussi davantage tendance à se concentrer sur les points forts d'autrui, et donc à remplir le seau des autres. Nous espérons que de réaliser l'évaluation Clifton StrengthsFinder et d'en apprendre davantage sur vos talents naturels aura pour effet de remplir votre seau et, du même coup, de vous faire exceller dans l'art de remplir celui des autres.

À la toute fin du présent livre, vous trouverez une carte d'invitation comportant un code d'identification unique de 16 chiffres qui vous permettra d'effectuer gratuitement l'évaluation Clifton StrengthsFinder. Une fois cette évaluation terminée, vous recevrez un guide personnalisé qui vous permettra de vous lancer sur le chemin de la croissance personnelle selon vos cinq principaux thèmes en matière de talents. Nous espérons que vous saisirez cette occasion de voir en vous-même et de partager ce que vous y trouverez avec d'autres personnes.

CINQUIÈME STRATÉGIE

Inverser la règle d'or

Dans le cas du remplissage de seaux, la règle «Fais aux autres *ce que tu voudrais qu'ils fassent pour toi*» ne s'applique pas. Nous vous suggérons donc en contrepartie une règle légèrement différente : «Fais aux autres *ce qu'ils voudraient que tu fasses pour eux.*» Nous avons consacré le chapitre cinq à l'illustration de ce point, mais nous souhaitons d'abord revenir sur quelque chose : Quand il s'agit de remplir des seaux avec efficacité et de manière significative, l'individualisation constitue la clef du succès. Ainsi, lorsque vous remplissez un seau, allez-y en inversant – ou du moins en redéfinissant – la règle d'or.

Comme vous l'avez appris par l'histoire de Matt, le représentant du service à la clientèle qui a reçu en prix le portrait de ses filles, les choses qui vous rendent unique déterminent aussi ce qui aura réellement pour effet de remplir votre seau, et inversement. Il y a peu de chances qu'exactement les mêmes choses auront autant de signification pour qui que ce soit d'autre ; certains d'entre nous préfèrent des récompenses ou des cadeaux tangibles, alors que d'autres trouvent leur motivation dans les paroles et la reconnaissance d'autrui. Par ailleurs, bien que certaines personnes souhaitent recevoir des paroles gentilles prononcées devant une foule, d'autres préfèrent que ce soit quelqu'un qu'ils aiment, qu'ils

admirent et qu'ils respectent qui les félicite ou les compli-
mente discrètement en tête-à-tête.

Voici un autre aspect important de l'individualisation :
Ce que nous reconnaissons aux autres les aide à façonner
leur identité et leurs futures réalisations. C'est pourquoi le
fait de remplir un seau doit être conforme à la personne con-
cernée.

Vous ne savez trop comment vous y mettre ? Vous n'avez
qu'à poser quelques questions. Nous en avons inclues quelques-
unes que nous vous recommandons de considérer. Mettez-les à
l'essai dans vos interactions avec vos amis. Si vous être un
cadre supérieur, découvrez la puissance que recèle le fait de
poser ces questions aux gens qui travaillent sous votre direction, pour ensuite agir en conséquence. Aussi, vous trouverez
des renseignements supplémentaires sur notre site Web (version anglaise seulement).

Questions à poser pour remplir un seau

1. *Par quel nom aimez-vous être appelé ?*

2. *Quels sont les « sujets qui vous font vibrer », les passe-temps ou les intérêts dont vous aimez beaucoup parler ?*

3. *Qu'est-ce qui accroît le plus vos émotions positives ou qui « remplit le plus votre seau » ?*

4. *De **qui** aimez-vous le plus recevoir une marque de reconnaissance ou des éloges ?*

5. *Quel type de reconnaissance ou d'éloges préférez-vous ? Aimez-vous les marques de reconnaissance données en public, en privé, par écrit, verbalement, ou d'autres manières ?*

6. *Quel type de reconnaissance vous motive le plus ? Aimez-vous recevoir des chèques-cadeaux, un titre pour avoir remporté une compétition, une note ou un courriel significatif, ou quelque chose d'autre ?*

7. *Quelle est la marque de reconnaissance la plus extraordinaire que vous ayez reçue ?*

En plus d'être individualisés, vos éloges signifieront plus pour leur destinataire s'ils sont spécifiques. Exprimer des éloges dans une note ou un courriel constitue un excellent moyen d'y arriver. La reconnaissances exprimée par écrit est particulièrement gratifiante du fait aussi qu'elle sert à la rappeler au destinataire pendant longtemps, lui permettant d'y revenir encore et toujours.

À la fin du présent chapitre, vous trouverez un modèle de « goutte pour votre seau ». Il ne s'agit que d'un moyen de fournir des marques de reconnaissance brèves, personnalisées et par écrit. N'hésitez pas à avoir recours à ce système, ou à en concevoir un qui vous soit propre – selon ce qui fonctionne le mieux pour vous et pour chaque destinataire.

Il y a plus de trois décennies que nous utilisons ces gouttes dans des organisations, des écoles et des lieux religieux. Des millions de gens y ont eu recours. Certaines personnes ont conservé leurs gouttes pendant de nombreuses années pour se remémorer leurs réalisations. Voici quelques commentaires que nous avons recueillis auprès de gens qui les ont utilisées :

« Les gouttes sont des compliments. Elles constituent un moyen de dire à quelqu'un : "Vous avez fait un travail exceptionnel" ou "Merci pour ce que vous avez fait." »

« Les gouttes créent une énergie positive là où il n'y en existait aucune. »

« Toute personne peut envoyer une goutte à quelqu'un d'autre, ce qui fait que cela ne va pas de haut en bas ou

de bas en haut. Les gouttes peuvent venir de n'importe quelle direction. Ce n'est pas comme si la direction tapotait la tête de quelqu'un en lui disant : "Oui, vous avez fait du bon travail, et nous espérons tirer encore meilleur avantage de vous." »

« Une goutte peut constituer un "merci" ou un moment précis où vous avez été témoin d'un geste formidable que quelqu'un a posé et que vous avez compris ou apprécié. Je crois qu'une goutte est un moyen de résumer une interaction ou un moment passé en compagnie de quelqu'un et de lui dire : "J'ai remarqué cela à votre sujet. Je me soucie de vous, et je tiens à ce que vous le sachiez." »

« Essayez-le. Faites-le. Écrivez des gouttes et encouragez-en d'autres à vous imiter. Je crois que les gens s'enthousiasmeront pour le concept et n'attendront après l'approbation de personne pour s'y mettre. Mettez le concept à l'essai dans une petite division de votre organisation et voyez ce qui se produira. »

Voici un exemple de ce à quoi peut ressembler une « goutte ». Il s'agit du texte que j'ai moi-même écrit sur une goutte à l'intention de Don lorsque j'avais onze ans, afin de le remercier de m'avoir donné l'idée de démarrer l'entreprise dont il a été fait mention au chapitre quatre.

UNE GOUTTE POUR VOTRE SEAU

4/11/1982

Merci de m'avoir donné l'idée de démarrer Biz Kids. Ça m'a vraiment aidé à en apprendre sur les affaires. Je trouve que c'était une idée géniale et je suis très heureux d'y avoir donné suite. Si Biz Kids réussit bien maintenant, c'est à cause de tes excellentes idées !

Avec amour,

Tom

Voici maintenant le défi à relever : Fixez-vous pour objectif de composer au moins cinq gouttes ou autres marques de reconnaissance par mois. Si vous n'aimez pas écrire à la main, vous pouvez toujours les dactylographier ou envoyer des gouttes électroniques à partir de notre site Web. Ce site vous permettra également de vous créer des rappels au cas où vous auriez besoin de vous faire rappeler à l'occasion la nécessité de remplir des seaux.

Une fois que vous aurez terminé de composer une goutte, vous pourrez la remettre discrètement à son destinataire en main propre, la lui envoyer par la poste, la lui expédier par courrier électronique ou la lui lire avec emphase. Faites ce qui remplira le plus son seau. Voilà, dans son essence, l'art qui consiste à bien remplir des seaux !

ÉPILOGUE

Imaginez ce que sera votre monde un an après que vous vous serez mis à remplir des seaux. Nous sommes d'avis que les changements suivants se seront produits :

- ◆ Votre lieu de travail sera beaucoup plus productif et agréable.

- ◆ Vous aurez plus d'amis.

- ◆ Vos collègues et vos clients seront plus satisfaits et plus engagés.

- ◆ Votre mariage sera plus solide.

- ◆ Vous jouirez de relations plus étroites avec votre famille et vos amis.

- ◆ Vous serez en meilleure santé et plus heureux, et votre longévité s'en trouvera accrue.

De nombreuses preuves scientifiques et anecdotiques appuient le fait qu'il est important de remplir des seaux dans la vie. Saisissez toutes les occasions qui s'offrent à vous d'accroître les émotions positives chez les gens de votre entourage. Cela fera une grande différence. Cela pourrait même changer le monde.

Ne perdez pas un seul instant de plus. Il y a, quelque part, un seau qui attend que vous le remplissiez.

Explorer le site Web officiel
(version anglaise seulement) de
Votre seau est-il bien rempli ?

www.bucketbook.com

Visitez ce site pour :
- Faire le test d'incidence positive, afin d'évaluer votre propre aptitude à remplir des seaux.

- Télécharger et imprimer les questions à poser pour remplir un seau.

- Composer, imprimer, commander et envoyer des gouttes par courrier électronique.

- Créer des rappels par courrier électronique de la nécessité de remplir des seaux.

- Communiquer des stratégies et des histoires à d'autres.

- En apprendre davantage sur la mise en application des concepts donnés dans *Votre seau est-il bien rempli ?*

- Faire le Clifton StrengthsFinder et découvrir vos cinq plus grands talents.

NOTES

Au cours de la rédaction de *Votre seau est-il bien rempli ?* nous avons passé en revue des résultats de recherches exhaustives effectuées sur plusieurs décennies dans le domaine de la psychologie et en milieu de travail. De nombreuses études mentionnées dans le présent livre figurent dans des œuvres savantes, mais leurs résultats ont rarement été compilés dans un ouvrage facile à lire. En créant le livre que vous avez en main, nous avons voulu recueillir les faits les plus pertinents afin de les rendre accessibles au lectorat le plus vaste possible. Nous espérions que cela permettrait à des milliers d'autres personnes de profiter de l'œuvre brillante des scientifiques figurant dans les présentes notes. Vous trouverez ci-après le numéro de page et un bref extrait correspondant à chaque référence citée dans le texte.

Introduction

11 *Dans les années 1990, les travaux de Don donnèrent le jour à un nouveau domaine d'études : la psychologie positive :* Seligman, M. E. P. et Csikszentmihalyi, M. (2000). « Positive psychology : an introduction ». *American Psychologist*, n° 55, p. 514.

12 *Bien que Don avait déjà écrit plusieurs livres :* Clifton, D. O. (1966). « The mystery of the dipper and the bucket ». [Dépliant]. Lincoln, Nebraska : King's Food Host. Food Host USA, Inc.

Chapitre un : La négativité tue

17   *Après la guerre de Corée :* Mayer, W. (conférencier). (1967).
      « Mind control, the ultimate weapon ». Cassette audio achetée
      auprès de Reality Zone et transcrite par Gallup. Disponible sur
      http://store.yahoo.com/realityzone/mindcontrol.html

23   *Ému par cette histoire :* Clifton, D. O., Hollingsworth, F. L.,
      et Hall, W. E. (mai 1952). « A projective technique for mea-
      suring positive and negative attitudes towards people in a
      real-life situation ». *The Journal of Educational Psychology*,
      p. 273-283.

Chapitre deux : Positivité, négativité et productivité

28   *Notre plus récente analyse :* Harter, J. K., Schmidt, F. L. et
      Killham, E. A. (2003). « Employee engagement, satisfaction,
      and business-unit-level outcomes : a meta-analysis ». Washing-
      ton, D.C. : The Gallup Organization.

28   *Des études ont démontré que les cadres supérieurs :* George,
      J. M. (1995). « Leader positive mood and group perfor-
      mance : The case of customer service ». *Journal of Applied
      Social Psychology*, vol. 25, n° 9, p. 778-794.

31   *Selon le département du Travail des États-Unis :* Theisen, T.
      (25 mars 2003). « Recognizing all staff members is an im-
      portant task ». *Lincoln Journal Star,* p. 4A.

31 *Une étude menée auprès de travailleurs de la santé :* Bhat-
tacharya, S. «Unfair bosses make blood pressure soar» (juin
2003). NewScientist.com. Extrait obtenu le 20 août 2003 de
http: www.newscientist.com/news/jsp?id=ns99993863

33 *Il en coûte chaque année à l'économie américaine :* «Post
9/11, Compassionate companies had highly engaged employees,
reports *GMJ*» (mars 2002). *Gallup Management Journal.*
Extrait obtenu le 20 août 2003 de http://gmj.gallup.com/
content/default.asp?ci=478

37 *Il n'y a rien d'étonnant :* Harter, J. K., Schmidt, F. L. et
Killham, E. A. (2003). «Employee engagement, satisfac-
tion, and business-unit-level outcomes: a meta-analysis».
Washington, D.C.: The Gallup Organization;
et
Cameron, K. S., Bright, D. et Caza, A. (sous presse).
«Exploring the relationships between organizational virtuous-
ness and performance». *American Behavioral Scientist.*

Chapitre trois : Chaque moment compte

50 *Cette étude, menée en 1925 par la doctoresse Elizabeth
Hurlock :* Hurlock, E. B. (1925). «An evaluation of certain
incentives used in school work». *Journal of Educational
Psychology*, n° 16, p. 145-159.

52 *Comme résultat de l'émergence de la psychologie positive :*
Seligman, M. E. P. et Csikszentmihalyi, M. (2000). «Positive psychology: an introduction». *American Psychologist*,
n° 55, p. 514.

53   *Selon le scientifique Daniel Kahneman, récipiendaire du prix Nobel :* Kahneman, D. (2002). « A day in the lives of 1,000 working women in Texas ». Présenté lors du premier sommet international sur la psychologie positive, Washington, D.C. Transcrit d'un enregistrement vocal disponible à l'adresse http://www.gallup.hu/pps/kahneman_long.htm

53   *Dans un récent épisode de* Today : Touchet, T. (chef de production) (11 novembre 2003). *Today* [télédiffusion]. New York : NBC.

55   *Les recherches initiales que John Gottman a effectuées :* Gottman, John (1994). *Why Marriages succeed or fail... and how you can make yours last.* New York : Fireside.

57   *Dix ans plus tard :* Cooke, R. (17 février 2004). « Researchers say they can predict divorces ». *The Boston Globe Online.* Extrait obtenu le 20 février 2004 de http://www. boston.com/news/globe/health_science/articles/2004/02/17/ researchers_say_ they_can_predict_divorces/

57   *Une récente étude a démontré que les groupes de travail :* Losada, M. (1999). « The complex dynamics of high performance teams ». *Mathematical and Computer Modeling,* n° 30, p. 179-192.

57   *La modélisation mathématique des rapport positifs contre négatifs, de Fredrickson et Losada :* Fredrickson, B. (octobre 2003). « Positive emotions and upward spirals in organizations ». Présenté lors de la conférence internationale de The Gallup Organization qui s'est tenue à Omaha, Nebraska.

59 *Des milliers d'études :* Witvliet, C. V. O, Ludwig, T. E. et Vander Laan, K. L. (2001). « Granting forgiveness or harboring grudges : implications for emotion, physiology, and health ». *Psychological Science*, nº 12, p. 117-123 ;
Seligman, M. E. P. (2002), *Authentic Happiness.* New York : The Free Press ;
et
Snyder, C. R., Rand, K. L. et Sigmon, D. R. (2001). « Hope theory : a member of the positive psychology family ». *Handbook of Positive Psychology*, p. 257-268. New York : Oxford University Press.

59 *Des chercheurs qui ont effectué une étude auprès de 839 patients de la clinique Mayo :* Maruta, T., Colligan, R. C., Malinchoc, M. et Offord, K. P. (2000). « Optimists vs. pessimists : survival rate among medical patients over a 30-year period ». *Mayo Clinic Proceedings*, nº 75, p. 140-143.

59 *Et une étude qui a fait date, menée auprès de 180 religieuses catholiques âgées, a révélé :* Danner, D., Snowdon, D. et Friesen, W. (2001). « Positive emotions in early life and longevity : findings from the nun study » [version électronique]. *Journal of Personality and Social Psychology*, nº 80, p. 804-813.

61 *Afin de mettre les choses en perspective :* « Smoking hits women hard » (12 janvier 1999). BBC News/BBC Online Network. Extrait obtenu le 20 août 2003 de http://news.bbc.co.uk/1/hi/health/253627.stm

61 *Une étude effectuée auprès de diplômés de Harvard :* Peterson, C., Seligman, M. E. P. et Valliant, G. E. (1988). « Pessimistic

explanatory style is a risk factor for physical illness : a thirty-five year longitudinal study ». *Journal of Personality and Social Psychology*, n° 55, p. 23-27.

61 *Selon certaines études destinées à analyser la numération globulaire :* Peterson, C. et Bossio, L. M. (1991). *Health and optimism.* New York : The Free Press.

62 *Barbara Fredrickson, directrice du laboratoire d'étude des émotions positives et de psychophysiologie de l'université d'État du Michigan :* Fredrickson, B. L. « Leading with positive emotions ». Extrait obtenu le 20 août 2003 du site Web de l'université d'État du Michigan consacré à la faculté d'administration, au corps professoral et à la recherche : http://bus.umich.edu/Faculty Research/Research/TryingTimes/ PositiveEmotions.htm

Chapitre quatre : L'histoire de Tom – Un seau qui déborde

65 *Le psychologue de renom Ed Diener :* Diener, E. (octobre 2003). « Positive psychology ». Présenté lors de la confé- rence internationale de The Gallup Organization qui s'est tenue à Omaha, Nebraska.

68 *Après que j'eus été en affaires pendant quelques années :* Switzer, Gerry (9 avril 1985). « Business is elementary for these school children », *Lincoln Journal-Star*, p. 1,8.

Chapitre six : Cinq stratégies pour accroître les émotions positives

90 *Selon la doctoresse Barbara Fredrickson :* Fredrickson, B. (octobre 2003). «Positive emotions and upward spirals in organizations». Présenté lors de la conférence internationale de The Gallup Organization qui s'est tenue à Omaha, Nebraska.

94 *Le psychologue de renom Ed Diener :* Diener, E. (octobre 2003). «Positive psychology». Présenté lors de la conférence internationale de The Gallup Organization qui s'est tenue à Omaha, Nebraska.

98 *Le luxueux détaillant Saks Fifth Avenue :* Suffes, S. (janvier 2004). «How Saks Welcomes New Customers». *Gallup Management Journal.* Extrait obtenu le 4 mars 2004 de http://gmj.gallup.com/content/default.asp?ci=10093

98 *Le fruit de décennies d'études Gallup :* Buckingham, M. et Clifton, D. O. (2001). *Découvrez vos points forts dans la vie et au travail*, Paris : Village Mondial.

99 *Des recherches ont démontré que les gens qui effectuent cette évaluation :* Rath, T. (2002). «Measuring the impact of Gallup's strengths-based development program for students» [Rapport technique]. Université Johns Hopkins ; et Cameron, K. S., Dutton, J. E. et Quinn, R. E. (2003). *Positive organizational scholarship.* San Francisco : Berrett-Koehler.

REMERCIEMENTS

Au nom de Don et en mon propre nom, je tiens à remercier les personnes suivantes pour avoir contribué à la concrétisation de *Votre seau est-il bien rempli ?* Don est mort avant que nous puissions travailler à cette partie du livre, mais je sais qu'il aurait saisi avec beaucoup de joie l'occasion de remercier toutes les personnes concernées. *Votre seau est-il bien rempli ?* constitue un recueil de connaissances émanant de centaines, sinon de milliers, de grands esprits.

J'aimerais commencer sur une note très personnelle, en soulignant la contribution de Shirley Clifton, une personne étonnamment douée dans le développement des gens. Il s'agit de la grand-mère, dont j'ai fait mention au chapitre quatre, qui m'a fait la lecture et qui a pris soin de moi tous les jours de mon enfance. Shirley a toujours été mon professeur préféré et quelqu'un que je suis fier d'appeler ma meilleure amie. Dans notre famille, Shirley est celle qui nous a toujours aidés à apprendre, à grandir et à avancer dans la vie.

Véritable rocher au cœur même d'une famille étonnante, Shirley continue aujourd'hui de nous inspirer. L'épouse de Don pendant 58 ans, Shirley était sa plus grande supporter, sa meilleure amie et sa remarquable compagne de toute une vie. J'admire leur relation plus que toute autre dont il m'a été donné d'être le témoin. Don a consacré sa vie entière à étudier *ce qui va* chez les gens, et le fait d'avoir un mariage qui constituait la définition même de *ce qui va* a rendu la chose possible.

Dans cette veine, j'aimerais remercier ma famille pour le soutien qu'elle nous a procuré lors de la rédaction du présent livre; et plus important encore, pour l'incidence qu'elle a exercée sur notre vie. Chacun de ses membres a passé sa vie à veiller à ce que de plus en plus de gens soient en mesure de se concentrer sur ce qui va, dès leur réveil tous les matins. Ce livre n'aurait pu voir le jour sans la direction et les encouragements de Connie Rath, de Jim Clifton, de Mary Reckmeyer et de Jane Miller.

Professionnellement parlant, la création de ce livre est attribuable à plusieurs personnes. En effet, *Votre seau est-il bien rempli ?* n'a pas été rédigé simplement par deux auteurs. Il est le fruit du travail de ceux avec qui nous avons collaboré au fil des ans – chez Gallup, dans le monde universitaire et au-delà.

Il y a deux personnes en particulier qui ont consacré d'innombrables journées de travail à faire de ce livre une réalité. Geoff Brewer s'est révélé être un éditeur brillant, passé maître dans l'art de polir les mots. Par ailleurs, Piotrek Juszkiewicz a travaillé inlassablement tous les jours pour veiller à ce que chaque partie du livre soit tout à fait bien. En plus d'être les véritables «co-créateurs» de *Votre seau est-il bien rempli ?* ce sont tous les deux des amis et des partenaires exceptionnels.

Le leadership de Larry Emond a également joué un rôle déterminant dans la création du livre. Il nous a fourni des remarques inestimables et de précieux conseils d'ensemble. Tonya Fredstrom, Tom Hatton, Tosca Lee et Susan Suffes ont aussi joué un rôle déterminant, en révisant plusieurs ébauches du livre. Kelly Henry, Paul Petters et Barb Sanford se sont révélés être d'excellents relecteurs, éditeurs et vérificateurs des faits. Molly Hardin, Kim Simeon et Kim Goldberg ont paufiné la mise en page, et Christopher Purdy y est allé de ses conseils d'expert en conception. Bret Bickel a dirigé l'équipe de Matt Johnson, de Cory Keogh, de Swati Jain et de Tiberius OsBurn, à qui nous devons la création du merveilleux site Web qui accompagne le livre.

Nous tenons également à remercier quelques-uns des psychologues et des scientifiques de renommée internationale qui ont influencé notre perception des choses tout au long de la rédaction : Mihaly Csikszentmihalyi, Ed Diener, Barbara Fredrickson, Daniel Kahneman, Christopher Petersen et Martin Seligman.

Tandis que nous travaillions à plusieurs ébauches, chacune des personnes suivantes nous a apporté son importante contribution : Vandana Allman, Chip Anderson, Debbie Anstine, Raksha Arora, Kelly Aylward, Cheryl Beamer, Irene Burklund, Jason Carr, Deb Christenson, Julie Clement, Curt Coffman, Barry Conchie, Jon Conradt, Christine Courvelle, Kirk Cox, Steve Crabtree, Michael Cudaback, Bette Curd, Larry Curd, Tim Dean, Renay Dey, Dan Draus, Eldin Ehrlich, Sherry Ehrlich, Mindy Faith, Peter Flade, Gabriel Gonzalez-Molina, Sandy Graff, Trisha Hall, Jim Harter, Ty Hartman, Sonny Hill, Brian Hittlet, Tim Hodges, Alison Hunter, Mark John, Todd Johnson Emily Killham, Jim Krieger, Jerry Krueger, Aaron Lamski, Julie Lamski, Steve Liegl, Curt Liesveld, Rosanne Liesveld, Sharon Lutz, Jan Meints, Jacque Merritt, Jan Miller, Bard Mlady, Andy Monnich, Pam Morrison, Gale Muller, Sue Munn, Jacques Murphy, Grant Mussman, Ron Newman, Eric Nielsen, Terry Noel, Matt Norquist, Mary Lou Novak, Steve O'Brien, Eric Olesen, David Osborne, Ashley Page, Rod Penner, Mark Pogue, Adam Pressman, Susan Raff, Jillene Reimnitz, John Reimnitz, Jason Rohde, Pam Ruhlman, Gary Russell, Robyn Seals,

Cheryl Siegman, Gaylene Skorohod, Joe Streur, Ross Thompson, Rosemary Travis, Sarah Van Allen, Martin Walsh, Jason Weber, Kryste Wiedenfeld, John Wood, Al Woods et Warren Wright.

Pour terminer, nous souhaiterions remercier les milliers de collègues et d'amis de The Gallup Organization, qui consacrent leur vie à étudier et à enseigner ce qui va, et à y croire. Au nom de Don et en mon propre nom, nous vous offrons notre gratitude la plus sincère pour vous être joints à nous dans cette mission de toute une vie.

TABLE DES MATIÈRES

Introduction 11

La théorie de la louche et du seau 15

CHAPITRE UN 17
La négativité tue

CHAPITRE DEUX 27
Positivité, négativité et productivité

CHAPITRE TROIS 43
Chaque moment compte

CHAPITRE QUATRE 65
L'histoire de Tom : Un seau qui déborde

CHAPITRE CINQ 77
Rendre la situation personnelle

CHAPITRE SIX 83
Cinq stratégies pour accroître les émotions positives
• Éviter de puiser dans les seaux 85
• Mettre en lumière ce qui va 89
• Se faire un meilleur ami 93
• Donner à l'improviste 97
• Inverser la règle d'or 101

Une goutte pour votre seau 106

Épilogue 109

Notes 113